A-Z SOUTHAMPTON

CONTENTS

G000078759

REFERENCE

Motorway	**M27**
A Road	A335
B Road	B3038
Dual Carriageway	
One-way Street Traffic flow on A Roads is indicated by a heavy line on the driver's left.	→
Large Scale Pages Only	⇒
Restricted Access	
Pedestrianized Road	
Track	
Footpath	
Residential Walkway	
Railway	Level Crossing — Station — Tunnel
Built-up Area	CENTRAL RD.
Local Authority Boundary	
National Park Boundary	
Postcode Boundary	

Map Continuation **16**	Large Scale City Centre **4**
Car Park Selected	P
Church or Chapel	†
Cycle Route Selected	⊕⊙
Dock Gate Number	③
Fire Station	■
Hospital	H
House Numbers A & B Roads only	83 — 96
Information Centre	𝒊
National Grid Reference	⁴45
Berth Number	101
Police Station	▲
Post Office	★
Toilet With facilities for the Disabled	▼ 🛆
Educational Establishment	
Hospital or Hospice	
Industrial Building	
Leisure or Recreational Facility	
Place of Interest	
Public Building	
Shopping Centre or Market	
Other Selected Buildings	

SCALE

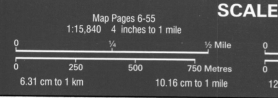

Map Pages 6-55
1:15,840   4 inches to 1 mile

0 ¼ ½ Mile
0 250 500 750 Metres
6.31 cm to 1 km   10.16 cm to 1 mile

Map Pages 4-5
1:7,920   8 inches to 1 mile

0 ⅛ ¼ Mile
0 100 200 300 Metres
12.63 cm to 1 km   20.32 cm to 1 mile

Geographers' A-Z Map Company Ltd.

Head Office:
Fairfield Road, Borough Green, Sevenoaks, Kent, TN15 8PP
Telephone 01732 781000 (General Enquiries & Trade Sales)

Showrooms:
44 Gray's Inn Road, London, WC1X 8HX
Telephone 020 7440 9500 (Retail Sales)
www.a-zmaps.co.uk

Edition 5 2001
Copyright © Geographers' A-Z Map Co. Ltd. 2001

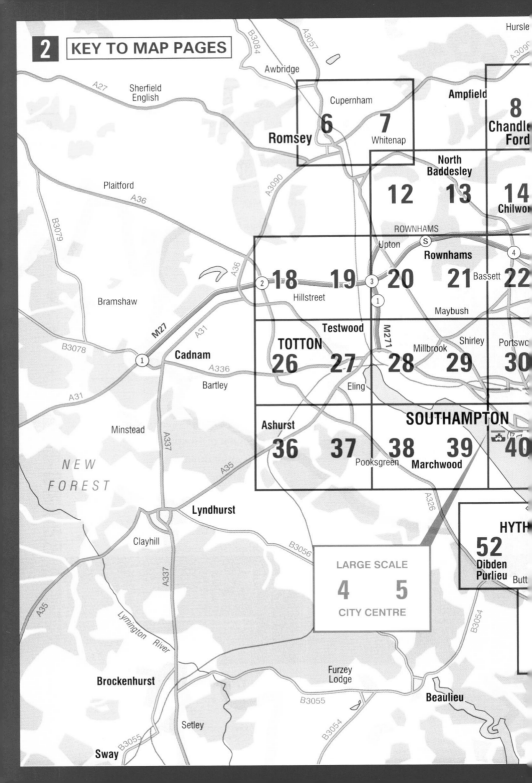

Hursle

Awbridge

Sherfield English

A27

B3084

A3057

A3090

Cupernham

Ampfield

8 Chandle Ford

6 **7**
Whitenap

Romsey

North Baddesley

Plaitford

A36

12 **13** **14**
Chilwor

ROWNHAMS

B3079

Upton

Ⓢ

Rownhams

18 **19** **20** **21** Bassett **22**
Hillstreet ③ Maybush

Bramshaw

②

A36

A31

Testwood

M271

TOTTON

Millbrook Shirley Portswo

M27

B3078

Cadnam

A336

26 **27** **28** **29** **30**

① Minstead

Bartley

Eling

SOUTHAMPTON

A337

A35

Ashurst

36 **37** **38** **39** **40**
Pooksgreen **Marchwood**

NEW FOREST

A326

Lyndhurst

Clayhill

A337

B3056

HYTH

52
Dibden Purlieu Butt

LARGE SCALE

4 **5**

CITY CENTRE

A35

Lymington River

B3055

Furzey Lodge

B3054

Beaulieu

Brockenhurst

B3055

Setley

B3055

Sway

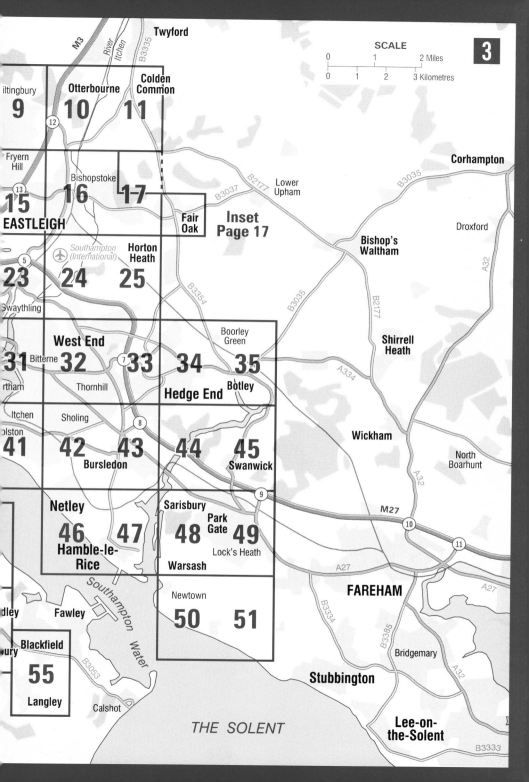

3

SCALE

0   1   2 Miles
0   1   2   3 Kilometres

Twyford

M3
River Itchen
B3335

iltingbury

9

Otterbourne

10

Colden Common

11

12

Fryern Hill

13

Bishopstoke

16

15

EASTLEIGH

17

Fair Oak

Inset Page 17

Corhampton

B3035

Lower Upham

B2177

B3037

Droxford

A32

Bishop's Waltham

Southampton (International)

Horton Heath

23

24

25

B3354

B3035

B2177

Shirrell Heath

Swaythling

West End

Boorley Green

31

Bitterne

32

7

33

34

35

A334

rtham

Thornhill

Hedge End

Botley

Itchen

Sholing

8

Wickham

olston

North Boarhunt

41

42

43

44

45

Bursledon

Swanwick

9

Netley

Sarisbury

M27

46

47

48

Park Gate

49

10

Hamble-le-Rice

Lock's Heath

Warsash

11

A27

A27

Southampton

Newtown

FAREHAM

dley

Fawley

50

51

B3334

B3385

A32

Blackfield

ury

55

Langley

Water

Bridgemary

Stubbington

Calshot

B3063

THE SOLENT

Lee-on-the-Solent

B3333

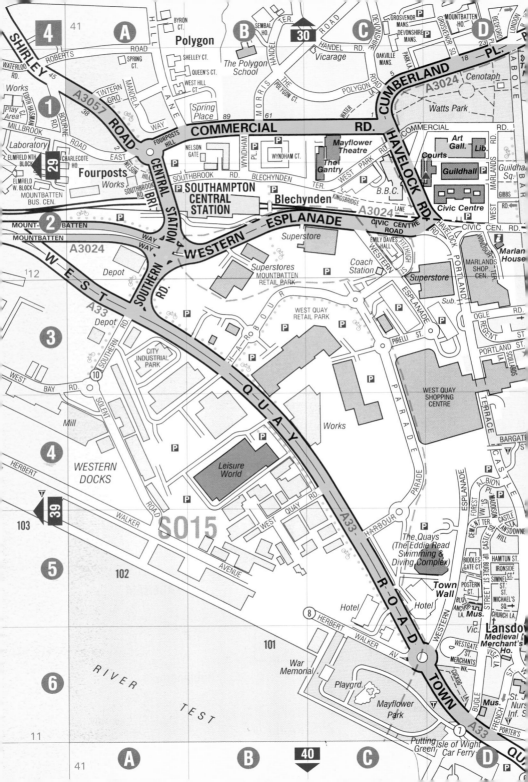

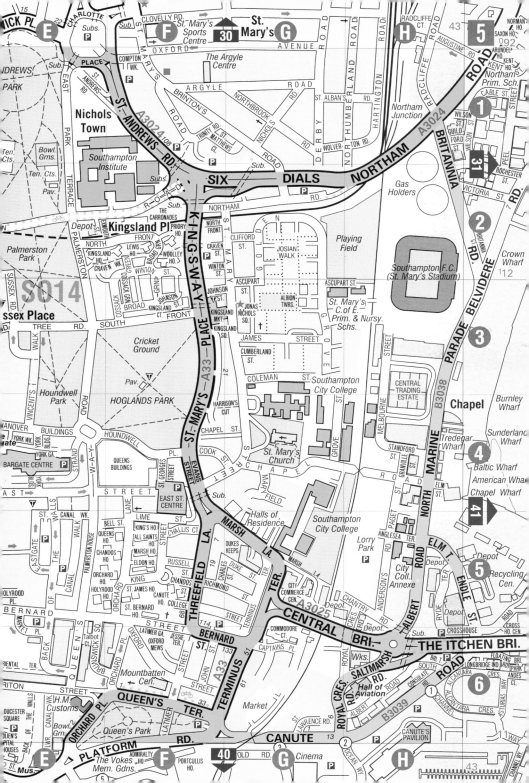

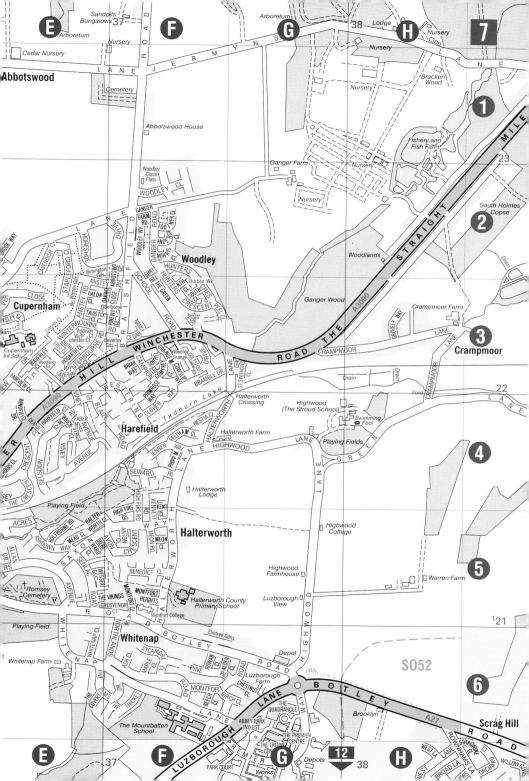

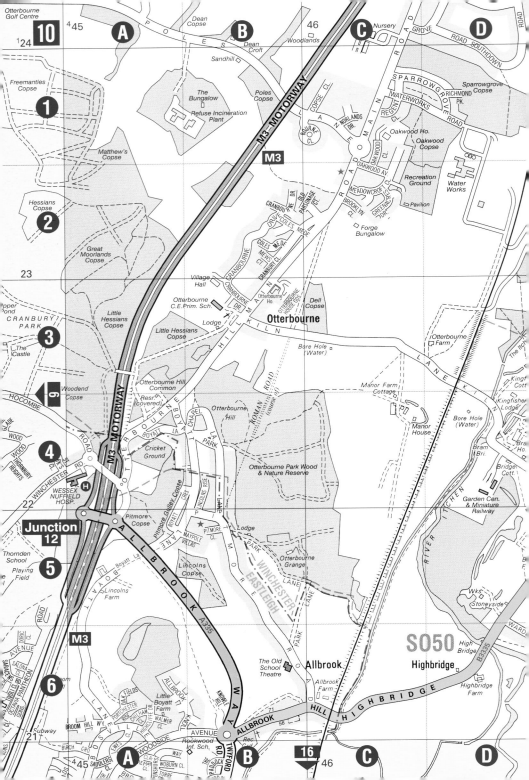

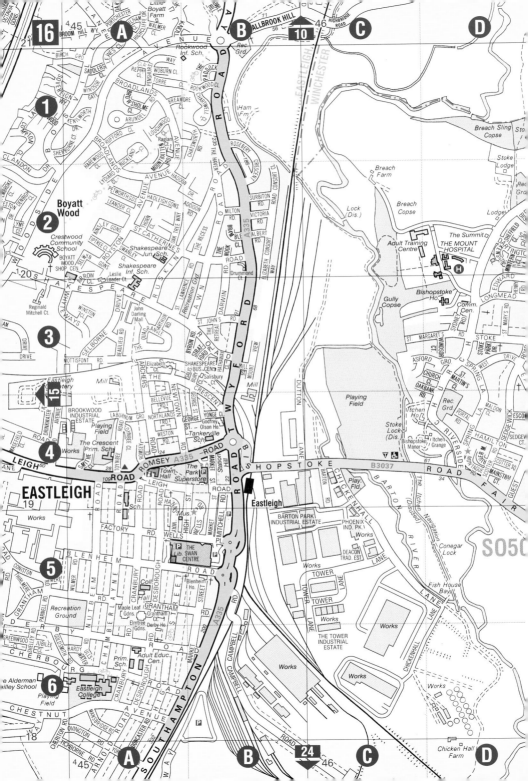

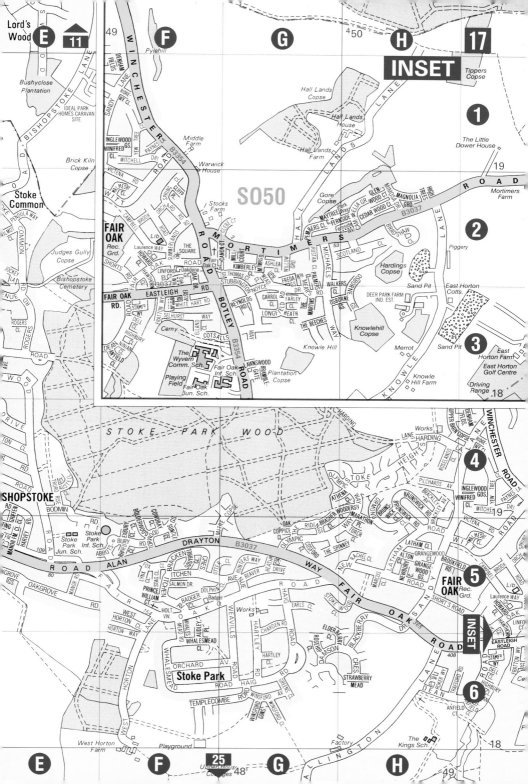

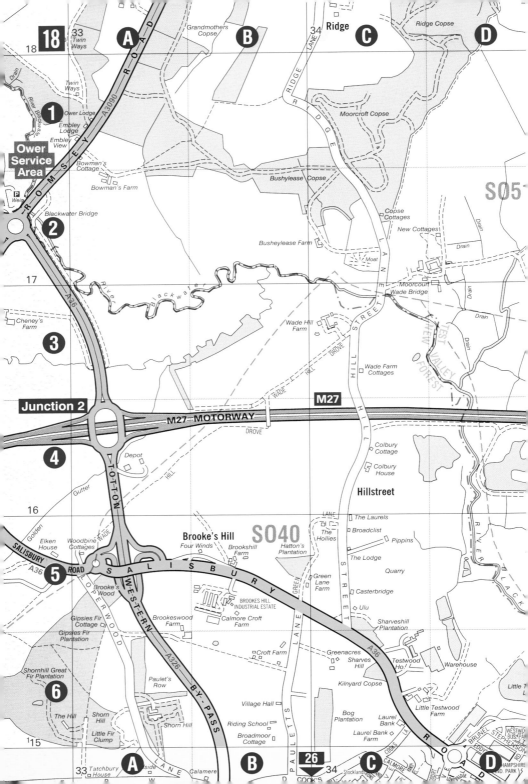

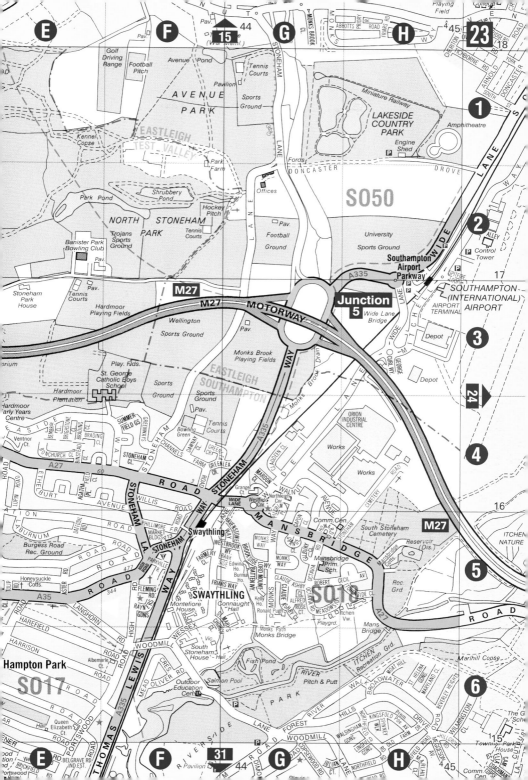

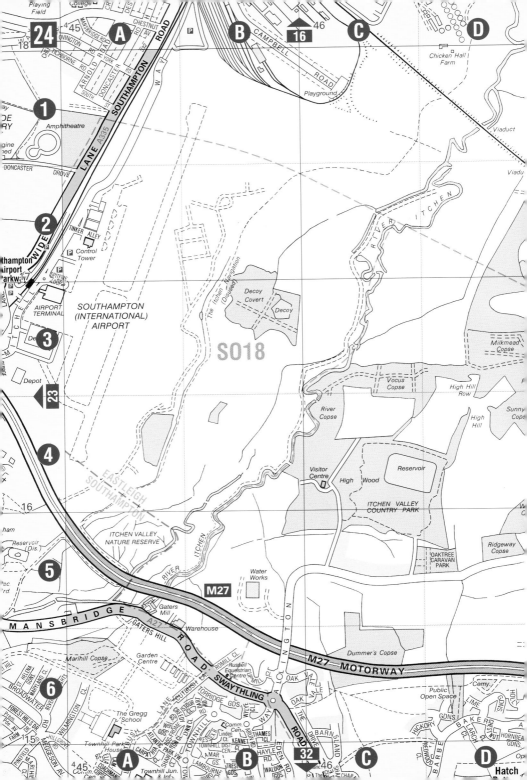

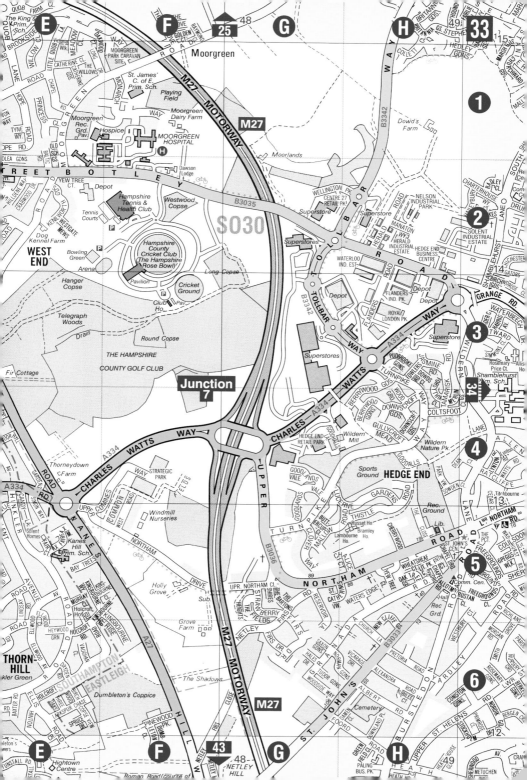

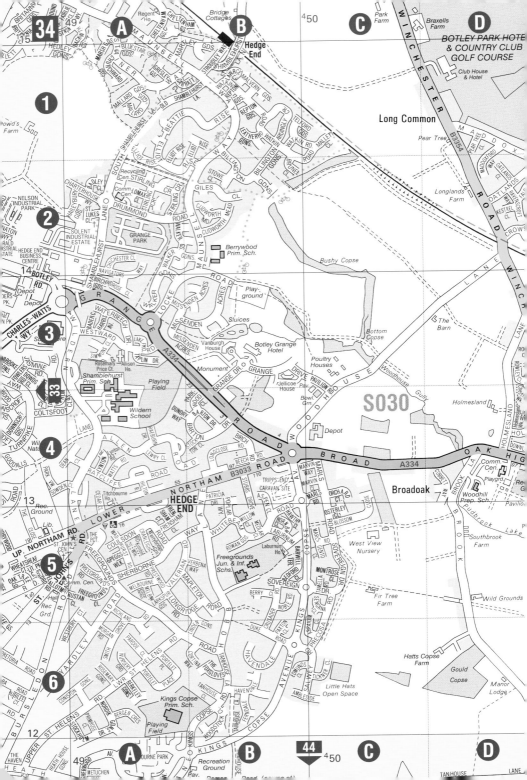

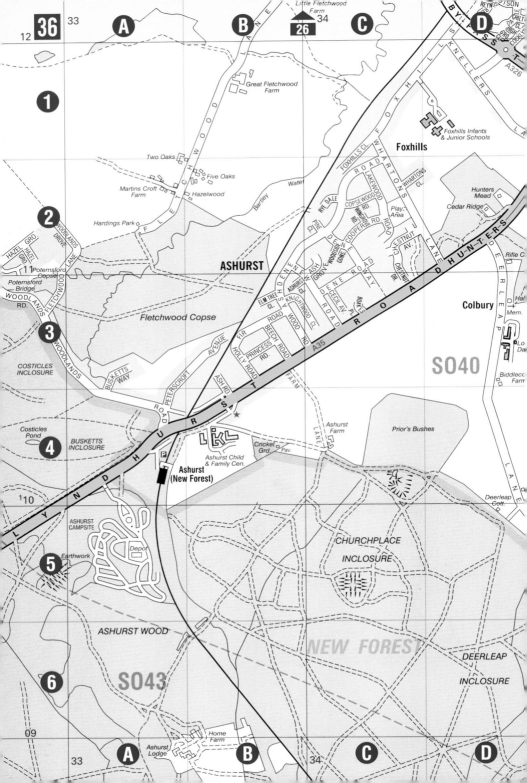

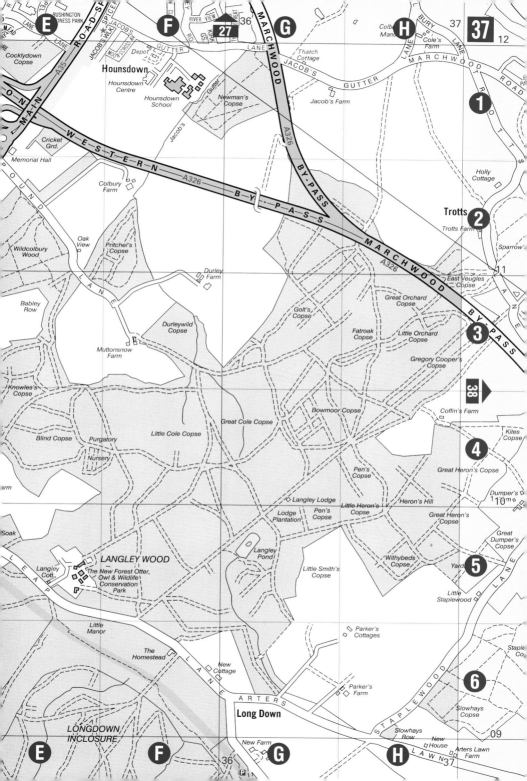

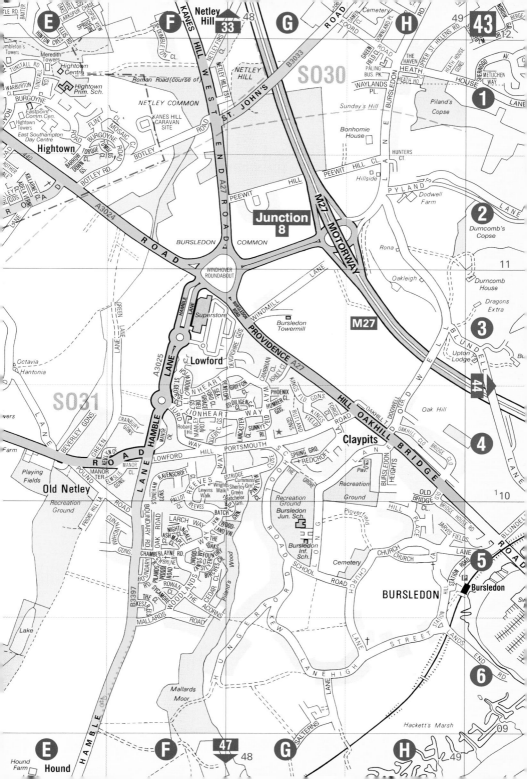

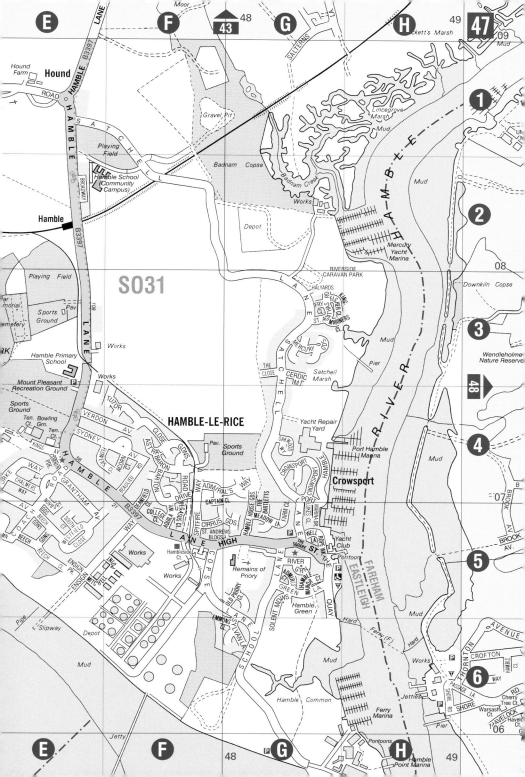

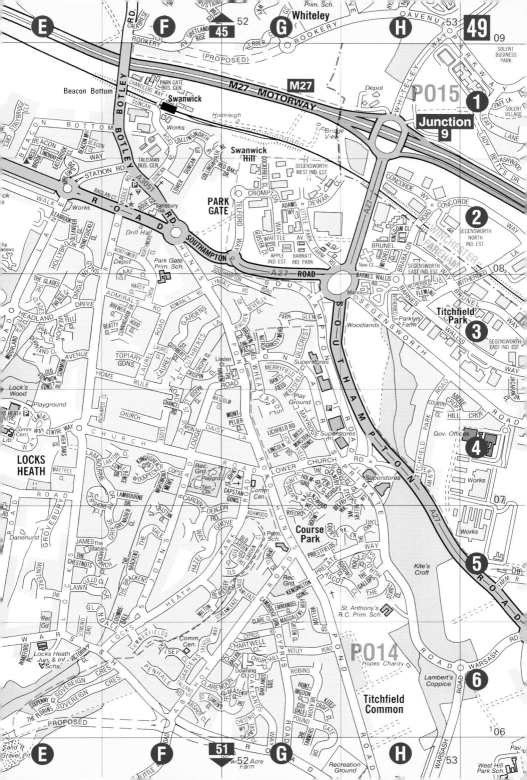

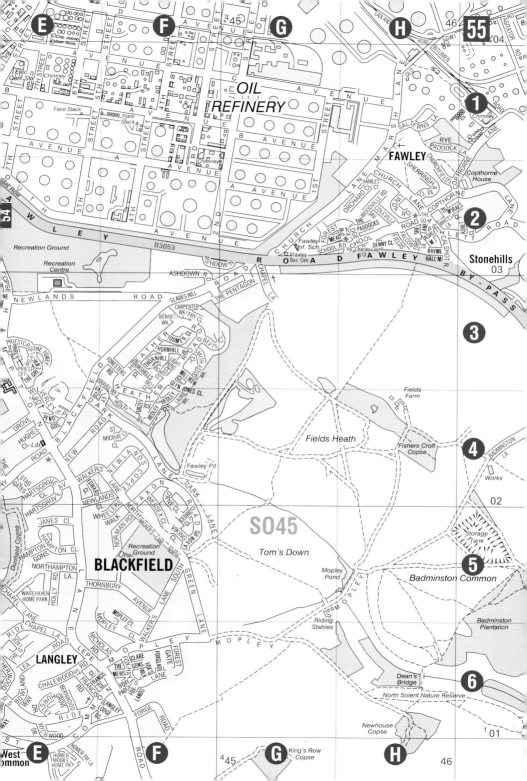

INDEX
Including Streets and Selected Subsidiary Addresses

HOW TO USE THIS INDEX

1. Each street name is followed by its Posttown or Postal Locality and then by its map reference; e.g. Abbey Fields Clo.
   Net A —1D **46** is in the Netley Abbey Postal Locality and is to be found in square 1D on page **46**. The page number being shown in bold type. A strict alphabetical order is followed in which Av., Rd., St., etc. (though abbreviated) are read in full and as part of the street name; e.g. Abbotswood Clo. appears after Abbots Way but before Abbotts Rd.

2. Streets and a selection of Subsidiary names not shown on the Maps, appear in the index in *Italics* with the thoroughfare to which it is connected shown in brackets; e.g. *Abbey Wlk. Roms* —5B **6** *(off Church St.)*

3. Map references shown in brackets; e.g. Above Bar St. *Sotn* —6B **30** (1D **4**) refer to entries that also appear on the large scale pages 4 & 5.

GENERAL ABBREVIATIONS

All : Alley
App : Approach
Arc : Arcade
Av : Avenue
Bk : Back
Boulevd : Boulevard
Bri : Bridge
B'way : Broadway
Bldgs : Buildings
Bus : Business
Cvn : Caravan
Cen : Centre
Chu : Church
Chyd : Churchyard
Circ : Circle
Cir : Circus
Clo : Close
Comn : Common
Cotts : Cottages

Ct : Court
Cres : Crescent ·
Cft : Croft
Dri : Drive
E : East
Embkmt : Embankment
Est : Estate
Fld : Field
Gdns : Gardens
Gth : Garth
Ga : Gate
Gt : Great
Grn : Green
Gro : Grove
Ho : House
Ind : Industrial
Info : Information
Junct : Junction
La : Lane

Lit : Little
Lwr : Lower
Mc : Mac
Mnr : Manor
Mans : Mansions
Mkt : Market
Mdw : Meadow
M : Mews
Mt : Mount
Mus : Museum
N : North
Pal : Palace
Pde : Parade
Pk : Park
Pas : Passage
Pl : Place
Quad : Quadrant
Res : Residential
Ri : Rise

Rd : Road
Shop : Shopping
S : South
Sq : Square
Sta : Station
St : Street
Ter : Terrace
Trad : Trading
Up : Upper
Va : Vale
Vw : View
Vs : Villas
Vis : Visitors
Wlk : Walk
W : West
Yd : Yard

POSTTOWN AND POSTAL LOCALITY ABBREVIATIONS

Amp : Ampfield
Asht : Ashurst
Bish W : Bishops Waltham
Black : Blackfield
Bot : Botley
Bourn : Bournemouth
Bram : Brambridge
Bur : Burridge
Burs : Bursledon
Cal : Calmore
Chan F : Chandler's Ford
Chilw : Chilworth
Col C : Colden Common
Comp : Compton
Cram : Crammmoor
Curd : Curdridge
Dib : Dibden

Dib P : Dibden Purlieu
E Dock : Eastern Docks
Eastl : Eastleigh
E Wel : East Wellow
F Oak : Fair Oak
Fare : Fareham
Fawl : Fawley
Fern : Ferndown
Fish P : Fishers Pond
Gos : Gosport
Hamb : Hamble
H End : Hedge End
Highb : Highbridge
Highc : Highcliffe
Holb : Holbury
H Hth : Horton Heath
Hurs : Hursley

Hythe : Hythe
Lee : Lee
L Hth : Locks Heath
Lwr S : Lower Swanwick
March : Marchwood
Net A : Netley Abbey
N Bad : North Baddesley
Nurs : Nursling
Ocn V : Ocean Village
Ott : Otterbourne
Ower : Ower
Park G : Park Gate
Ports : Portsmouth
Roms : Romsey
Rown : Rownhams
Sar G : Sarisbury Green
Seg W : Segensworth West

Shaw : Shawford
Sotn : Southampton
Sotn I : Southampton
    International Airport
S'sea : Southsea
Swanw : Swanwick
Titch : Titchfield
Tot : Totton
Twy : Twyford
Wal C : Waltham Chase
Wars : Warsash
W End : West End
W Dock : Western Docks
White : Whiteley
Win : Winchester
W'lnds : Woodlands

INDEX

Aaron Ct. *March* —3D **38**
A Avenue. *Hythe* —3C **54**
   (in two parts)
Abbey Clo. *Hythe* —3E **53**
Abbey Ct. *Sotn* —4B **30**
Abbey Enterprise Cen. *Roms*
   —2B **12**
Abbey Fields Clo. *Net A* —1D **46**
Abbey Hill. *Net A* —6H **41**
Abbey Pk. Ind. Est. *Roms*
   —6G **7**
Abbey, The. *Roms* —5B **6**
Abbey Wlk. Roms —5B **6**
   (off Church St.)

Abbey Water. *Roms* —5B **6**
Abbotsbury Rd. *Eastl* —5F **17**
Abbotsfield. *Tot* —4E **27**
Abbotsfield Clo. *Sotn* —4G **21**
Abbots Way. *Net A* —1D **46**
Abbotswood Clo. *Roms* —3F **7**
Abbotts Rd. *Eastl* —6G **15**
Abbotts Way. *Sotn* —2D **30**
Abercrombie Gdns. *Sotn* —5E **21**
Aberdeen Rd. *Sotn* —2E **31**
Aberdour Clo. *Sotn* —3B **32**
Abingdon Gdns. *Sotn* —6A **22**
Above Bar St. *Sotn*
   —6B **30** (1D **4**)

Abraham Clo. *Bot* —6C **34**
Abshot Clo. *Fare* —6F **49**
Abshot Rd. *Fare* —6F **49**
Acacia Rd. *Sotn* —6H **31**
Acorn Clo. *March* —4E **39**
Acorn Ct. *Hamb* —4F **47**
Acorn Dri. *Rown* —2C **20**
Acorn Gro. *Chan F* —3B **14**
Acorns, The. *Burs* —5F **43**
Acorn Workshops. *Sotn*
   —4D **30**
Adams Clo. *H End* —6H **25**
Adamson Clo. *Chan F* —5F **9**
Adams Rd. *Hythe* —4E **53**

Adams Way. *Fare* —2G **49**
Adams Wood Dri. *March*
   —4D **38**
Adcock Ct. *Sotn* —2C **20**
Addison Clo. *Roms* —3E **7**
Addison Rd. *Eastl* —2B **16**
Addison Rd. *Sar G* —1D **48**
Addis Sq. *Sotn* —2D **30**
   (in two parts)
Adelaide Rd. *Sotn* —3E **31**
Adela Verne Clo. *Sotn* —2E **43**
Adey Clo. *Sotn* —3B **42**
Admirals Clo. *Fawl* —2H **55**
Admirals Ct. *Hamb* —5G **47**

Bullar Rd.—Charlecote Ho.

Bullar Rd. *Sotn* —4G **31**
Bullar St. *Sotn* —5D **30**
Bullfinch Clo. *Tot* —4C **26**
Bullrush Clo. *Dib P* —5D **52**
Burbush Clo. *Holb* —5C **54**
Burgess Ct. *Sotn* —5D **22**
Burgess Gdns. *Sotn* —6A **22**
Burgess Rd. *Sotn* —6H **21**
  (in two parts)
Burghclere Rd. *Sotn* —5H **41**
Burgoyne Rd. *Sotn* —1E **43**
Burgundy Clo. *L Hth* —5D **48**
Burke Dri. *Sotn* —5C **32**
Burley Clo. *Chan F* —3D **14**
Burley Down. *Chan F* —3D **14**
Burlington Ct. *Sotn* —6B **32**
Burlington Mans. *Sotn* —4G **29**
Burlington Rd. *Sotn* —5A **30**
Burma Ho. *Sotn* —5G **23**
Burma Rd. *Roms* —6C **6**
Burma Way. *March* —4D **38**
Burmese Clo. *White* —6F **45**
Burnbank Gdns. *Tot* —4E **27**
Burnett Clo. *Hythe* —4F **53**
Burnett Clo. *Sotn* —2G **31**
Burnetts La. *W End & H Hth*
  —6G **25**
Burnham Beeches. *Chan F*
  —1D **14**
Burnham Chase. *Sotn* —4B **32**
Burns Clo. *Eastl* —6G **15**
Burns Pl. *Sotn* —1E **29**
Burns Rd. *Eastl* —6H **15**
Burns Rd. *Sotn* —5D **32**
Burr Clo. *Col C* —5F **11**
Burridge Rd. *Bot* —5G **35**
Burridge Rd. *Bur* —3E **45**
Bursledon Heights. *Burs*
  —4H **43**
Bursledon Rd. *H End* —1H **43**
Bursledon Rd. *Sotn & Burs*
  —5A **32**
Burton Rd. *Sotn* —5A **30**
Bury Brickfield Pk. Cvn. Site.
  Tot —1A **38**
Bury La. *Tot* —6H **27**
Bury Rd. *March* —2B **38**
Busketts Way. *Asht* —3A **36**
Buttercup Clo. *H End* —5G **33**
Buttercup Clo. *Hythe* —5E **53**
Buttercup Wlk. *Tot* —6D **26**
Buttercup Way. *L Hth* —4C **48**
Butterfield Rd. *Sotn* —6A **22**
Buttermere Clo. *Sotn* —1C **28**
Butts Ash Av. *Hythe* —6E **53**
Butts Ash Gdns. *Hythe* —5E **53**
Butts Ash La. *Hythe* —6D **52**
Butts Bri. Hill. *Hythe* —4E **53**
Buttsbridge Rd. *Hythe* —5E **53**
Butt's Clo. *Sotn* —1D **42**
Butt's Cres. *Sotn* —1C **42**
Butt's Rd. *Sotn* —3B **42**
Butt's Sq. *Sotn* —1C **42**
Byam's La. *March* —3E **39**
Bye Rd. *Swanw* —5B **44**
Byeways. *Hythe* —4D **52**
Byron Ct. *Sotn* —5A **30**
Byron Rd. *Eastl* —3B **16**
Byron Rd. *Sotn* —5C **32**
By-the-Wood. *Cal* —1D **26**

Cable St. *Sotn* —6E **31**
Cabot Dri. *Dib* —3A **52**
Cadland Ct. *Ocn V* —2E **41**

Cadland Pk. Est. *Hythe* —3C **54**
Cadland Rd. *Hythe* —2B **54**
Caerleon Av. *Sotn* —5C **32**
Caerleon Dri. *Sotn* —5B **32**
Caernarvon Gdns. *Chan F*
  —3C **14**
Caistor Clo. *Sotn* —5E **21**
Calabrese. *Swanw* —6F **45**
Calbourne. *Net A* —6C **42**
Calder Clo. *Sotn* —3C **28**
Calderwood Dri. *Sotn* —1A **42**
Caledonia Dri. *Dib* —3B **52**
California Clo. *Tot* —2B **26**
Calmore Cres. *Cal* —1B **26**
Calmore Dri. *Cal* —1C **26**
Calmore Gdns. *Tot* —4C **26**
Calmore Ind. Est. *Tot* —1E **27**
  (in two parts)
Calmore Rd. *Cal & Tot* —1B **26**
Calshot Ct. *Ocn V* —3E **41**
Calshot Dri. *Chan F* —4C **14**
Calshot Rd. *Fawl* —2H **55**
Camargue Clo. *White* —5F **45**
Cambria Dri. *Dib* —3B **52**
Cambrian Clo. *Burs* —3G **43**
Cambridge Dri. *Chan F* —4E **15**
  (in two parts)
Cambridge Grn. *Chan F* —4E **15**
Cambridge Grn. *Fare* —5G **49**
Cambridge Rd. *Sotn* —3C **30**
Camelia Gdns. *Sotn* —1A **32**
Camelia Gro. *F Oak* —2H **17**
Camellia Clo. *N Bad* —2E **13**
Cameron Ct. *Sotn* —4D **20**
Camley Clo. *Sotn* —4G **41**
Campbell Rd. *Eastl* —6B **16**
Campbell St. *Sotn* —5E **31**
Campbell Way. *F Oak* —2F **17**
Campion Clo. *Wars* —6C **48**
Campion Dri. *Roms* —3F **7**
Campion Rd. *Sotn* —6D **32**
Canada Pl. *Sotn* —5A **22**
Canada Rd. *Sotn* —3G **41**
Canal Clo. *Roms* —3D **6**
Canal Wlk. *Sotn* —2C **40** (5E **5**)
Canberra Rd. *Nurs* —5H **19**
Canberra Towers. *Sotn* —5H **41**
Candlemas Pl. *Sotn* —3C **30**
Candover Ct. *Sotn* —5A **42**
Candy La. *Sotn* —4E **33**
Canford Clo. *Sotn* —1B **28**
Cannon St. *Sotn* —3G **29**
Canoe Clo. *Wars* —6D **48**
Canon Ct. *Eastl* —2F **17**
Canterbury Av. *Sotn* —2C **42**
Canterbury Dri. *Dib* —3A **52**
Canton St. *Sotn* —5B **30**
Canute Ho. *Sotn* —5F **5**
Canute Rd. *Sotn* —2D **40** (6G **5**)
Canutes Pavilion. *Ocn V*
  —3D **40**
Canvey Ct. *Sotn* —1C **28**
Capella Gdns. *Dib* —3B **52**
Capon Clo. *Sotn* —5G **23**
Capstan Gdns. *L Hth* —4G **49**
Captain's Pl. *Sotn*
  —2D **40** (6G **5**)
Caraway. *White* —6H **45**
Cardinal Way. *L Hth* —4F **49**
Cardington Ct. *Sotn* —5D **20**
Carey Rd. *Sotn* —6C **32**
Carisbrooke. *Net A* —6C **42**
Carisbrooke Ct. *Roms* —3D **6**
Carisbrooke Cres. *Chan F*
  —2G **15**

Carisbrooke Dri. *Sotn* —5H **31**
Carlisle Rd. *Sotn* —3F **29**
Carlton Commerce Cen., The.
  Sotn —4D **30**
Carlton Ct. *Sotn* —3B **30**
Carlton Cres. *Sotn* —5B **30**
Carlton Pl. *Sotn* —5B **30**
Carlton Rd. *Sotn* —4B **30**
Carlyn Dri. *Chan F* —6F **9**
Carnation Rd. *Sotn* —4E **23**
Carne Clo. *Chan F* —5E **9**
Caroline Ct. *Sotn* —3F **29**
Carolyn Clo. *Sotn* —3G **41**
Carpathia Clo. *W End* —1A **32**
Carpenter Clo. *Hythe* —2E **53**
Carpenter Wlk. *Black* —3F **55**
Carrington Ho. *Sotn* —2C **30**
Carrol Clo. *F Oak* —3G **17**
Carronades, The. *Sotn*
  —6C **30** (2F **5**)
Carthage Clo. *Chan F* —6H **9**
Caspian Clo. *White* —6F **45**
Castle Ct. *Sotn* —5E **29**
Castle La. *Chan F* —3C **14**
Castle La. *N Bad* —3F **13**
Castle La. *Sotn* —2B **40** (5D **4**)
  (in two parts)
Castle Rd. *Net A* —1B **46**
Castle Rd. *Sotn* —1G **31**
Castleshaw Clo. *Sotn* —4D **28**
Castle Sq. *Sotn* —2B **40** (5D **4**)
Castle St. *Sotn* —4C **30**
Castle Way. *Sotn*
  —1B **40** (4D **4**)
Castlewood La. *Chan F* —3D **14**
Catamaran Clo. *Wars* —6D **48**
Cateran Clo. *Sotn* —3D **28**
Cathay Gdns. *Dib* —3A **52**
Catherine Clo. *W End* —1E **33**
Catherine Gdns. *W End* —1E **33**
Catmint Clo. *Chan F* —6B **8**
Causeway. *Roms* —6A **6**
Causeway Cres. *Tot* —3G **27**
Cavalier Clo. *Dib* —3B **52**
Cavendish Clo. *Roms* —2E **7**
Cavendish Gro. *Sotn* —3B **30**
Cavendish M. *Sotn* —3B **30**
C Avenue. *Hythe* —2C **54**
Caversham Clo. *Sotn* —1A **42**
Caversham Clo. *W End*
  —3D **32**
Cawte Rd. *Sotn* —5G **29**
Caxton Av. *Sotn* —5B **32**
Cecil Av. *Asht* —3C **36**
Cecil Av. *Sotn* —2F **29**
Cecil Rd. *Sotn* —2H **41**
Cedar Av. *Sotn* —3G **29**
Cedar Clo. *Burs* —5F **43**
Cedar Clo. *H End* —4A **34**
Cedar Cres. *N Bad* —2D **12**
Cedar Gdns. *Sotn* —3C **30**
Cedar Lawn. *Roms* —3F **7**
Cedar Rd. *Eastl* —6G **15**
Cedar Rd. *Hythe* —6E **53**
Cedar Rd. *Sotn* —3C **30**
Cedarwood Clo. *Cal* —3C **26**
Cedarwood Clo. *F Oak* —2H **17**
Cedric Clo. *Black* —5F **55**
Celandine Av. *L Hth* —5D **48**
Celandine Clo. *Chan F* —2B **14**
Cement Ter. *Sotn*
  —2B **40** (5D **4**)
Cemetery Rd. *Sotn* —3A **30**
Central Bri. *Sotn*
  —2D **40** (5G **5**)

Central Precinct, The. *Chan F*
  —1F **15**
Central Rd. *Sotn* —3C **40**
Central Sta. Bri. *Sotn*
  —6A **30** (2A **4**)
Central Trad. Est. *Sotn*
  —1D **40** (3H **5**)
Centre Ct. *Sotn* —3F **29**
Centre 27 Retail Pk. *H End*
  —2G **33**
Centre Way. *L Hth* —4D **48**
Centurion Ind. Pk. *Sotn* —4E **31**
Cerdic M. *Hamb* —3G **47**
Cerne Clo. *N Bad* —3D **12**
Cerne Clo. *W End* —2B **32**
Chadwell Av. *Sotn* —1B **42**
Chadwick Rd. *Eastl* —5H **15**
Chafen Rd. *Sotn* —3F **31**
Chaffinch Clo. *Tot* —3C **26**
Chalcroft Distribution Cen.
  W End —4H **25**
Chalewood Rd. *Black* —6E **55**
Chalfont Ct. *Sotn* —2E **29**
Chalice Ct. *H End* —5G **33**
Chalk Hill. *W End* —3C **32**
Challenger Way. *Dib* —3B **52**
Challenger Way. *Hythe* —2B **52**
Challis Ct. *Sotn* —2C **40** (5F **5**)
Chalmers Way. *Hamb* —4E **47**
Chaloner Cres. *Dib P* —5E **53**
Chalvington Rd. *Chan F*
  —2E **15**
Chalybeate Clo. *Sotn* —1F **29**
Chamberlain Rd. *Sotn* —6C **22**
Chamberlayne Ct. *N Bad*
  —2F **13**
Chamberlayne Rd. *Burs* —5F **43**
Chamberlayne Rd. *Eastl*
  —6A **16**
Chamberlayne Rd. *Net A*
  —1B **46**
Chambers Av. *Roms* —5E **7**
Chambers Clo. *Nurs* —4A **20**
Chancel Rd. *L Hth* —4F **49**
Chandlers Ford Ind. Est. *Chan F*
  —2D **14**
Chandlers Way. *Park G* —1F **49**
Chandos Ho. *Sotn*
  —2C **40** (5E **5**)
Chandos St. *Sotn*
  —2C **40** (5F **5**)
Channels Farm Rd. *Sotn*
  —4F **23**
Channel Way. *Ocn V*
  —2D **40** (6H **5**)
Chantry Rd. *Sotn*
  —2D **40** (5H **5**)
Chantry, The. *Fare* —4G **49**
Chapel Clo. *W End* —1D **32**
Chapel Cres. *Sotn* —1A **42**
Chapel Drove. *H End* —5H **33**
  (in two parts)
Chapel La. *Black* —5E **55**
Chapel La. *Curd* —2H **35**
Chapel La. *Fawl* —2G **55**
Chapel La. *Ott* —4B **10**
Chapel La. *Tot* —6E **27**
Chapel Rd. *Sar C* —1C **48**
Chapel Rd. *Sotn* —1D **40** (4G **5**)
Chapel Rd. *W End* —1D **32**
Chapel St. *Sotn* —1C **40** (4F **5**)
Charden Ct. *Sotn* —4B **32**
Charden Rd. *Eastl* —5G **17**
Charlecote Dri. *Chan F* —5C **8**
Charlecote Ho. *Sotn* —1A **4**

Constable Clo.—Dell Clo.

Constable Clo. *Sotn* —3C **42**
Constantine Av. *Chan F* —1G **15**
Constantine Clo. *Chan F*
    —1H **15**
Consulate Ho. *Sotn*
    —2D **40** (6H **5**)
Conway Clo. *Chan F* —4D **14**
Cook's La. *Cal* —1B **26**
Cook St. *Sotn* —1C **40** (4F **5**)
Coombedale. *L Hth* —6A **47**
Cooper Rd. *Asht* —2C **36**
Cooper's Clo. *W End* —2C **32**
Cooper's La. *Sotn* —2F **41**
Copeland Rd. *Sotn* —2B **28**
Copenhagen Towers. *Sotn*
    —5G **41**
Copinger Clo. *Tot* —5C **26**
Copperfield Rd. *Sotn* —4C **22**
Copperfields. *Tot* —4C **26**
Coppice Rd. *Cal* —1C **26**
Copse Clo. *N Bad* —3D **12**
Copse Clo. *Ott* —1C **10**
Copse Clo. *Tot* —5F **27**
Copse La. *Chilw* —6B **14**
Copse La. *Hamb* —5F **47**
Copse Rd. *Sotn* —1H **31**
Copse, The. *Chan F* —2G **15**
Copse, The. *Roms* —3F **7**
Copse Vw. *Sotn* —6E **33**
Copsewood Rd. *Asht* —2C **36**
Copsewood Rd. *Hythe*
    —3D **52**
Copsewood Rd. *Sotn* —1G **31**
Copthorne La. *Fawl* —2H **55**
Coracle Clo. *Wars* —6D **48**
Corbiere Clo. *Sotn* —6C **20**
Corbould Rd. *Dib P* —5D **52**
Cordelia Clo. *Dib* —3B **52**
Coriander Dri. *Tot* —4C **26**
Coriander Way. *White* —5H **45**
Corinna Gdns. *Dib* —3B **52**
Corinthian Rd. *Chan F* —6G **9**
Cork La. *March* —3D **38**
Cormorant Dri. *Hythe* —4G **53**
Cornel Rd. *Sotn* —6H **31**
Cornfield Clo. *Chan F* —1B **14**
Cornflower Clo. *L Hth* —4C **48**
Cornforth Rd. *Sotn* —2C **28**
Corn Mkt. *Roms* —5B **6**
Cornwall Clo. *Sotn* —1A **32**
Cornwall Cres. *Sotn* —1H **31**
Cornwall Rd. *Chan F* —4E **15**
Cornwall Rd. *Sotn* —1H **31**
Coronation Av. *Sotn* —6A **22**
Coronation Homes. *Sotn*
    —3D **32**
Coronation Pde. *Hamb* —4E **47**
Corsair Dri. *Dib* —3B **52**
Cortina Way. *H End* —6B **34**
Corvette Av. *Wars* —6D **48**
Cosford Clo. *Eastl* —5G **17**
Cossack Grn. *Sotn*
    —1C **40** (3F **5**)
Cosworth Dri. *Dib* —3B **52**
Cotsalls. *F Oak* —3F **17**
Cotswold Clo. *Dib P* —3B **52**
Cotswold Rd. *Sotn* —3D **28**
Cotton Clo. *Eastl* —4E **17**
Coulsdon Rd. *H End* —6A **34**
Coultas Rd. *Chan F* —3G **9**
Course Pk. Cres. *Fare* —5G **49**
Court Clo. *Cal* —1D **26**
Court Clo. *Sotn* —5A **32**
Courtenay Clo. *Fare* —4H **49**

Courtier Clo. *Dib* —3A **52**
Courtland Gdns. *Sotn* —4D **22**
Court Rd. *Sotn* —4B **30**
Court Royal M. *Sotn* —3B **30**
Coventry Rd. *Sotn* —5B **30**
Covert, The. *Roms* —6E **7**
Cowdray Clo. *Eastl* —5F **17**
Cowdray Clo. *Sotn* —5F **21**
Cowes La. *Wars* —4B **50**
Cowley Clo. *Sotn* —1C **28**
Cowper Rd. *Sotn* —5D **32**
Cowslip Clo. *L Hth* —5C **48**
Cowslip Wlk. *Tot* —6D **26**
    (in two parts)
Cowslip Way. *Roms* —3F **7**
Coxdale. *Fare* —6G **49**
Coxford Clo. *Sotn* —1E **29**
Coxford Drove. *Sotn* —6E **21**
Coxford Rd. *Sotn* —1D **28**
Cox Row. *Chan F* —4E **15**
Cox's Dri. *Sotn* —3B **42**
Cox's La. *Sotn* —3F **41**
Cozens Clo. *Sotn* —4G **41**
Crabapple Clo. *Tot* —4C **26**
Crabbe La. *Sotn* —4C **22**
    (in two parts)
Crabbs Way. *Tot* —4B **26**
Crableck La. *Sar G* —2A **48**
Crabtree. *Sotn* —2D **28**
Crabwood Clo. *Sotn* —1D **28**
Crabwood Dri. *W End* —2E **33**
Crabwood Rd. *Sotn* —1C **28**
Cracknorehard La. *March*
    —3E **39**
Cracknore Rd. *Sotn* —6H **29**
Crampmoor La. *Cram* —3G **7**
Cranberry Clo. *March* —4D **38**
Cranborne Gdns. *Chan F* —4D **8**
Cranbourne Clo. *Sotn* —2H **29**
Cranbourne Dri. *Ott* —2B **10**
Cranbourne Pk. *H End*
    —1A **44**
Cranbury Av. *Sotn* —5C **30**
Cranbury Clo. *Ott* —2B **10**
Cranbury Ct. *Sotn* —2H **41**
Cranbury Gdns. *Burs* —4F **43**
Cranbury Pl. *Sotn* —5C **30**
Cranbury Rd. *Eastl* —6A **16**
    (in two parts)
Cranbury Rd. *Sotn* —2H **41**
Cranbury Ter. *Sotn* —5C **30**
Cranbury, The. Sotn —5C **30**
    (off Cranbury Ter.)
Cranbury Towers. Sotn —5C **30**
    (off Cranbury Pl.)
Cranford Gdns. *Chan F* —5D **8**
Cranford Ho. *Sotn* —1C **30**
Cranford Way. *Sotn* —1C **30**
Cranleigh Cn. *Sotn* —3C **30**
Cranleigh Rd. *H End* —5A **34**
Cranmer Dri. *Nurs* —4A **20**
Cranmore. *Net A* —6C **42**
Cranwell Ct. *Sotn* —4D **20**
Cranwell Cres. *Sotn* —4E **21**
Craven Rd. *Chan F* —1F **15**
Craven St. *Sotn* —6C **30** (2F **5**)
Craven Wlk. *Sotn*
    —6C **30** (2E **5**)
Crawford Clo. *Nurs* —4A **20**
Crawte Av. *Holb* —6D **54**
Creedy Gdns. *W End* —6A **24**
Creighton Rd. *Sotn* —5D **28**
Crescent Rd. *L Hth* —4D **48**
Crescent Rd. *N Bad* —2D **12**
Crescent, The. *Eastl* —3A **16**

Crescent, The. *March* —4C **38**
Crescent, The. *Net A* —1C **46**
Crescent, The. *Roms* —4E **7**
Crescent, The. *Sotn* —3A **42**
Cressey Rd. *Roms* —5C **6**
Crest Way. *Sotn* —1C **42**
Crete Cotts. *Dib P* —6C **52**
Crete La. *Dib P* —5D **52**
Crete Rd. *Dib P* —6D **52**
Crigdon Clo. *Sotn* —3C **28**
Crispin Clo. *H Hth* —3H **25**
Crispin Clo. *L Hth* —3H **25**
Crofton Clo. *Sotn* —2C **30**
Crofton Way. *Wars* —6A **48**
Croft, The. *Cal* —1C **26**
Croft, The. *Chan F* —4E **15**
Cromalt Clo. *Dib P* —4B **52**
Cromarty Rd. *Sotn* —4C **20**
Cromer Rd. *Sotn* —2B **28**
Crompton Way. *Fare* —2G **49**
Cromwell Rd. *Sotn* —4B **30**
Crooked Hays Clo. *March*
    —4D **38**
Crookham Rd. *Sotn* —5H **41**
Cross Ho. Cen. *Sotn* —2E **41**
Crosshouse Rd. *Sotn*
    —2E **41** (6H **5**)
Crossley Ct. *Sotn* —5G **29**
Cross Rd. *Sotn* —4G **31**
Crosstrees. *Sar G* —1D **48**
Crosswell Clo. *Sotn* —6C **32**
Crowders Grn. *Col C* —5F **11**
Crown St. *Sotn* —3F **29**
Crowsnest La. *Bot* —2D **34**
Crowsport. *Hamb* —4G **47**
Crowther Clo. *Sotn* —1C **42**
Croydon Clo. *Sotn* —5E **21**
Crummock Rd. *Chan F* —5C **8**
Crusader Rd. *H End* —6B **34**
Crusaders Way. *Chan F* —1B **14**
Cuckmere La. *Sotn* —3A **28**
Cuckoo Bushes La. *Chan F*
    —5D **8**
Cuckoo La. *Sotn* —2B **40** (6D **4**)
Cudworth Mead. *H End* —2B **34**
Culford Av. *Tot* —5F **27**
Culford Way. *Tot* —5F **27**
Culver. *Net A* —6C **42**
Culver Clo. *Sotn* —1B **28**
Culvery Gdns. *W End* —2A **32**
Cumberland Av. *Chan F* —1G **15**
Cumberland Clo. *Chan F*
    —1G **15**
Cumberland Pl. *Sotn*
    —6B **30** (1C **4**)
Cumberland St. *Sotn*
    —1D **40** (3G **5**)
Cumberland Way. *Dib* —3A **52**
Cumber Rd. *L Hth* —4C **48**
Cumbrian Way. *Sotn* —3C **28**
Cummins Grn. *Burs* —4G **43**
Cunard Av. *Sotn* —3G **29**
Cunard Rd. *Sotn* —3C **40**
Cunningham Cres. *Sotn*
    —1A **42**
Cunningham Dri. *L Hth* —3F **49**
Cunningham Gdns. *Burs*
    —5F **43**
Cupernham Clo. *Roms* —3D **6**
Cupernham La. *Roms* —1D **6**
Curlew Clo. *Hythe* —4F **53**
Curlew Clo. *Sotn* —4F **21**
Curlew Dri. *Hythe* —4F **53**
Curlew Sq. *Eastl* —5G **15**
Curlew Wlk. *Hythe* —4F **53**

Curzon Ct. *Sotn* —5H **21**
Cutbush La. *Sotn & W End*
    (in two parts) —1A **32**
Cutter Av. *Wars* —6C **48**
Cygnus Gdns. *Dib* —3A **52**
Cypress Av. *Sotn* —6H **31**
Cypress Gdns. *Bot* —4E **35**
Cypress Gdns. *Tot* —4C **26**
Cyprus Rd. *Fare* —6G **49**

D
Daffodil Rd. *Sotn* —5E **23**
Dahlia Rd. *Sotn* —5C **22**
Daintree Clo. *Sotn* —2D **42**
Dairy La. *Sotn* —5G **19**
Daisy La. *L Hth* —4F **49**
Daisy Rd. *Sotn* —5D **22**
Dale Grn. *Chan F* —4D **8**
Dale Rd. *Hythe* —3D **52**
Dale Rd. *Sotn* —1G **29**
Dales Way. *Tot* —3B **26**
Dale Valley Clo. *Sotn* —1G **29**
Dale Valley Gdns. *Sotn* —1G **29**
Dalmally Gdns. *Sotn* —3H **31**
Damen Clo. *H End* —6H **33**
Damson Cres. *F Oak* —6G **17**
Danebury Gdns. *Chan F* —3C **14**
Danebury Way. *Nurs* —6B **20**
Dane Clo. *Black* —4F **55**
Daniels Wlk. *Cal* —2B **26**
Dapple Pl. *March* —4E **39**
Dark La. *Black* —4E **55**
    (in two parts)
Darlington Gdns. *Sotn* —2H **29**
Dart Ho. *Sotn* —3H **31**
Dartington Rd. *Eastl* —2D **16**
Dart Rd. *W End* —6B **24**
Darwin Rd. *Eastl* —3B **16**
Darwin Rd. *Sotn* —4H **29**
D Avenue. *Hythe* —2D **54**
David Ct. *Roms* —6D **6**
Dawlish Av. *Sotn* —3H **29**
Dawnay Clo. *Sotn* —4F **23**
Dawson Lodge. *W End* —2F **33**
Dawson Rd. *Sotn* —3C **42**
Dawtrey Ct. *Sotn* —1E **31**
Dayrell Clo. *Cal* —2B **26**
Deacon Clo. *Sotn* —6A **32**
Deacon Cres. *Sotn* —6A **32**
Deacon Rd. *L Hth* —5F **49**
Deacon Rd. *Sotn* —6A **32**
Deacon Trad. Est. *Eastl* —5C **16**
Dean Ct. *H End* —4H **33**
Dean Ct. *Sotn* —3G **31**
Deanery, The. *Chan F* —4D **8**
Deanfield Clo. *Hamb* —5F **47**
Dean Rd. *F Oak* —6H **17**
Dean Rd. *Sotn* —3A **32**
Deansfield Clo. *Roms* —4E **7**
Dee Clo. *Chan F* —2D **14**
Deepdene, The. *Sotn* —3G **31**
Deeping Clo. *Sotn* —4H **41**
Deerhurst Clo. *Tot* —5D **26**
Deerleap Clo. *Hythe* —3E **53**
Deerleap La. *Tot* —2D **36**
Deerleap Way. *Hythe* —3E **53**
Deer Pk. Farm Ind. Est. *F Oak*
    —3H **17**
Defender Rd. *Sotn* —2F **41**
Defender Wlk. *Sotn* —2F **41**
Defoe Clo. *White* —5G **45**
De Grouchy La. *Sotn* —2C **30**
Delft Clo. *L Hth* —4D **48**
Delius Av. *Sotn* —2D **42**
Dell Clo. *F Oak* —3F **17**

Erskine Ct. *Sotn* —4E **21**
Escombe Rd. *Eastl* —4D **16**
Essex Grn. *Chan F* —5E **15**
Estridge Clo. *Burs* —4G **43**
Ethelburt Av. *Sotn* —4E **23**
Ethelred Gdns. *Tot* —5C **26**
European Way. *Sotn* —3D **40**
Evans St. *Sotn* —1C **40** (4F **5**)
Evelyn Cres. *Sotn* —3H **29**
Evenlode Rd. *Sotn* —2C **28**
Evergreen Clo. *March* —4D **38**
Evergreens. *Tot* —5G **27**
Evesham Clo. *Sotn* —4D **22**
Ewart Ct. *Hythe* —1E **53**
Ewell Way. *Tot* —2D **26**
Exbury Clo. *Eastl* —5F **17**
Exbury Rd. *Black* —4E **55**
Exeter Clo. *Eastl* —2H **15**
Exeter Clo. *L Hth* —4D **48**
Exeter Clo. *Sotn* —2A **32**
Exeter Rd. *Sotn* —3A **32**
Exford Av. *Sotn* —4C **32**
Exford Dri. *Sotn* —4C **32**
Exleigh Clo. *Sotn* —5B **32**
Exmoor Clo. *Tot* —4B **26**
Exmoor Clo. *White* —6F **45**
Exmoor Rd. *Sotn* —5D **30**
Exmouth St. *Sotn*
—6C **30** (2E **5**)
Eyeworth Wlk. *Dib* —2A **52**
Eynham Av. *Sotn* —5C **32**
Eynham Rd. *Sotn* —5C **32**
Eyre Clo. *Tot* —5D **26**

Faber M. *Roms* —4E **7**
Factory Rd. *Eastl* —5A **16**
Fairbairn Wlk. *Chan F* —1B **14**
Faircross Clo. *Holb* —5C **54**
Fairfax Ct. *Sotn* —5E **33**
Fairfax M. *Sotn* —5E **33**
Fairfield. *Roms* —3D **6**
Fairfield Clo. *Hythe* —2D **52**
Fairfield Lodge. *Sotn* —5G **21**
Fairfield Rd. *Shaw* —1D **10**
Fair Grn. *Sotn* —6B **32**
Fairisle Rd. *Sotn* —5C **20**
Fairlawn Clo. *Rown* —3D **20**
Fairlea Grange. *Sotn* —5B **22**
Fairlie Clo. *H End* —6H **25**
Fairmead Way. *Tot* —6E **27**
Fair Oak Ct. *F Oak* —2F **17**
Fair Oak Rd. *Eastl* —4D **16**
Fairview Clo. *Hythe* —3E **53**
Fairview Clo. *Roms* —3E **7**
Fairview Dri. *Hythe* —4D **52**
Fairview Dri. *Roms* —3E **7**
Fairview Pde. *Hythe* —4E **53**
Fairway Gdns. *Rown* —4C **20**
Fairway Rd. *Hythe* —2D **52**
Fairway, The. *Wars* —6D **48**
Falaise Clo. *Sotn* —5G **21**
Falconer Ct. *Holb* —2C **54**
Falcon Fields. *Fawl* —2H **55**
Falcon Sq. *Eastl* —6F **15**
Falcon Way. *Bot* —2D **34**
Falkland Clo. *Chan F* —4E **15**
(off Falkland Rd.)
Falkland Rd. *Chan F* —5E **15**
Falkland Rd. *Sotn* —3E **29**
Falstaff Way. *Tot* —6D **26**
Fanshawe St. *Sotn* —5C **30**
Faringdon Rd. *Sotn* —4D **32**
Farley Clo. *F Oak* —3G **17**
Farley Ct. *Sotn* —1H **29**

Farm Clo. *Hamb* —5G **47**
Farmery Clo. *Sotn* —5F **23**
Farm La. *Asht* —3B **36**
Farm Rd. *Fare* —5H **49**
Farringford Rd. *Sotn* —5D **32**
Fastnet Clo. *Sotn* —4C **20**
Fawley Bus. Cen. *Black* —2G **55**
Fawley By-Pass. *Fawl* —2H **55**
Fawley Rd. *Holb* —2E **55**
Fawley Rd. *Hythe* —4E **53**
Fawley Rd. *Sotn* —5E **29**
Fell Clo. *L Hth* —3E **49**
Feltham Clo. *Roms* —4F **7**
Ferndale. *H End* —6B **34**
Ferndale Rd. *March* —4D **38**
Ferndene Way. *Sotn* —3H **31**
Fernhills Rd. *Hythe* —5F **53**
Fernlea Gdns. *Sotn* —6A **22**
Fernlea Way. *Dib P* —3B **52**
Fern Rd. *Hythe* —3D **52**
Fern Rd. *Sotn* —3H **41**
Fernside Clo. *Holb* —5C **54**
Fernside Clo. *Sotn* —3D **28**
Fernside Ct. *Sotn* —5A **22**
Fernside Wlk. *F Oak* —2G **17**
Fernside Way. *Eastl* —2G **17**
Fern Way. *Fare* —4H **49**
Fernwood Cres. *Sotn* —3H **31**
Fernyhurst Av. *Rown* —4D **20**
Ferry Bri. Grn. *H End* —5A **34**
Ferrymans Quay. *Net A* —2B **46**
Ferry Rd. *Hythe* —3D **52**
Field Clo. *L Hth* —5E **49**
Field Clo. *Roms* —5D **6**
Field Clo. *Sotn* —4E **23**
Fielden Clo. *N Bad* —3D **12**
Fieldfare Ct. *Tot* —3C **26**
Fields Clo. *Black* —4E **55**
Field Vw. *Chan F* —1B **14**
Filton Clo. *Cal* —2C **26**
Finches, The. *Sotn* —3F **29**
(SO16)
Finches, The. *Sotn* —1D **30**
(SO17)
Finlay Clo. *Sotn* —1C **42**
Finzi Clo. *Sotn* —2C **42**
Fircroft Dri. *Chan F* —2F **15**
Firecrest Clo. *Sotn* —4F **21**
Firgrove Clo. *N Bad* —3D **12**
Firgrove Ct. *Sotn* —4G **29**
Firgrove Rd. *N Bad* —3D **12**
Firgrove Rd. *Sotn* —4G **29**
Fir Rd. *Asht* —3B **36**
Firs Dri. *H End* —6G **33**
First Av. *Sotn* —4B **28**
Firs, The. *Sotn* —5B **22**
First St. *Hythe* —6H **53**
(Avenue D)
First St. *Hythe* —2G **55**
(A Avenue)
Fir Tree Ct. *Sotn* —3B **32**
Firtree Gro. *Hythe* —6E **53**
Firtree La. *H Hth* —1G **25**
Firtree Way. *Sotn* —6B **32**
Firwood Cvn. Pk. *Chan F* —5E **9**
Firwood Clo. *Chan F* —5E **9**
Fisher's Rd. *Tot* —5G **27**
Fishlake Meadows. *Roms*
—3B **6**
Fitzgerald Clo. *White* —5G **45**
Fitzhugh Pl. *Sotn* —4B **30**
Fitzhugh St. *Sotn*
—6B **30** (2C **4**)
Fitzroy Clo. *Sotn* —2B **22**
Five Elms Dri. *Roms* —6E **7**

Fifth St. *Hythe* —2E **55**
Flamborough Clo. *Sotn* —1B **28**
Flanders Ind. Pk. *H End* —3H **33**
Flanders Rd. *H End* —3H **33**
Fleet End Bottom. *Wars*
—1D **50**
Fleet End Rd. *Wars* —6D **48**
Fleming Av. *N Bad* —3F **13**
Fleming Clo. *Fare* —3H **49**
Fleming Ct. *N Bad* —3F **13**
Fleming Pl. *Col C* —4F **11**
Fleming Pl. *Roms* —4C **6**
Fleming Rd. *Sotn* —5F **23**
Fletcher Clo. *Dib* —3B **52**
Fletchwood La. *Asht* —3A **36**
(in two parts)
Fletchwood Rd. *Tot* —5B **26**
Fleuret Clo. *Hythe* —5E **53**
Flexford Clo. *Chan F* —4C **8**
Flexford Rd. *N Bad* —1G **13**
Flint Clo. *Sotn* —1E **43**
Floating Bri. Rd. *Sotn* —2E **41**
Florence Rd. *Sotn* —3F **41**
Florins, The. *Fare* —6E **49**
Flowerdown Clo. *Cal* —3C **26**
Flowers Clo. *Hamb* —4E **47**
Font Clo. *Fare* —4G **49**
Fontwell Clo. *Cal* —2C **26**
(in two parts)
Foord Rd. *H End* —6G **33**
Footner Clo. *Roms* —2F **7**
Forbes Clo. *Sotn* —3D **20**
Ford Av. *Chan F* —3F **15**
Fordington Vs. *Chan F* —1E **15**
Forest Clo. *Chan F* —5E **9**
Forest Clo. *N Bad* —2C **12**
Forest Edge. *Fawl* —2G **55**
Foresters Ga. *Black* —6E **55**
Foresters Rd. *Fawl* —3F **55**
Forest Front. *Hythe* —6D **52**
(in two parts)
Forest Ga. *Black* —6F **55**
Forest Hills Dri. *Sotn* —6G **23**
Forest Hill Way. *Dib P* —4D **52**
Forest La. *Hythe* —2B **54**
Forest Mdw. *Dib P* —6E **53**
Forest Rd. *Chan F* —5F **9**
Forest Vw. *Sotn* —1B **40** (5D **4**)
Forge Clo. *Burs* —4G **43**
Forge La. *Fawl* —2H **55**
Forge Rd. *Black* —6F **55**
Forster Rd. *Sotn* —4C **30**
Forsythia Clo. *H End* —3H **33**
Forsythia Pl. *Sotn* —6H **31**
Forth Clo. *Chan F* —2D **14**
Forth Ho. *Sotn* —5E **31**
Fort Rd. *Sotn* —2G **41**
Fortune Ct. *Chan F* —1E **15**
Foundry Cres. *Burs* —5F **43**
Foundry La. *Sotn* —3F **29**
Fountain Ct. *Col C* —4G **11**
Fountain Ct. *H End* —5H **33**
Four Acres. *Bot* —5E **35**
Fourposts Hill. *Sotn*
—6A **30** (1A **4**)
Fourshells Clo. *Fawl* —3F **55**
Fourteenth St. *Hythe* —3C **54**
Fourth St. *Hythe* —2F **55**
Fowey Clo. *Chan F* —6D **8**
Fowey, The. *Black* —3E **55**
Fowlers Rd. *H End* —3H **33**
Fowlers Wlk. *Chilw* —5H **13**
Foxbury Clo. *Hythe* —4E **53**
Fox Clo. *Eastl* —5F **17**

Foxcott Clo. *Sotn* —5H **41**
Foxcroft Dri. *Holb* —5B **54**
Foxglade. *Black* —6F **55**
Foxgloves, The. *H End* —6B **34**
Foxhills. *Asht* —1C **36**
Foxhills Clo. *Asht* —2C **36**
Foxlands. *Black* —6F **55**
Fox's Wlk. *Black* —6F **55**
Foxtail Dri. *Dib P* —5D **52**
Foxy Paddock. *Black* —6F **55**
Foyes Ct. *Sotn* —4H **29**
Foy Gdns. *Wars* —6A **48**
Foyle Rd. *Chan F* —1D **14**
Frampton Clo. *Col C* —4F **11**
Frampton Way. *Tot* —5F **27**
Franconia Dri. *Nurs* —6H **19**
Franklyn Av. *Sotn* —1A **42**
Fraser Clo. *Sotn* —3D **20**
Fratton Way. *F Oak* —3F **17**
Frayslea. *Dib P* —4E **53**
Freda Routh Gdns. *F Oak*
—2G **17**
Frederick St. *Sotn* —5D **30**
Freegrounds Clo. *H End*
—5A **34**
Freegrounds Rd. *H End* —5A **34**
Freemantle Bus. Cen. *Sotn*
—6G **29**
Freemantle Clo. *Sotn* —6H **31**
Freemantle Comn. Rd. *Sotn*
—6H **31**
French St. *Sotn* —2B **40** (6D **4**)
Frensham Clo. *H End* —5A **34**
Frensham Ct. *H End* —5A **34**
Freshfield Rd. *Sotn* —4F **29**
Freshfield Sq. *Sotn* —4F **29**
Freshwater Ct. *Chan F* —4G **9**
Friars Cft. *Cal* —1C **26**
Friars Cft. *Net A* —6B **42**
Friars Rd. *Eastl* —6H **15**
Friars Way. *Sotn* —5F **23**
Fritham Clo. *Tot* —4C **26**
Fritham Rd. *Sotn* —3D **32**
Frobisher Ct. *March* —2E **39**
Frobisher Gdns. *Sotn* —1C **42**
Frobisher Ind. Cen. *Roms*
—3B **6**
Froghall. *Dib P* —5E **53**
Frogmore La. *Nurs* —6B **20**
Frome Clo. *March* —4E **39**
Frome Rd. *W End* —6A **24**
Frost La. *Hythe* —5E **53**
Fry Clo. *Fawl* —3F **55**
Fry Clo. *Hamb* —3G **47**
Fryern Arc. *Chan F* —6F **9**
Fryern Clo. *Chan F* —1G **15**
Fuchsia Gdns. *Sotn* —1H **29**
Fullerton Clo. *Sotn* —5H **41**
Fulmar Clo. *Sotn* —4F **21**
Fulmar Dri. *Hythe* —4F **53**
Furze Clo. *Sotn* —6A **32**
Furzedale Gdns. *Hythe* —5F **53**
Furzedale Pk. *Hythe* —5F **53**
Furzedown M. *Hythe* —5F **53**
Furzedown Rd. *Sotn* —1C **30**
Furze Rd. *Sotn* —6A **32**
Furzey Av. *Hythe* —4F **53**
Furzey Clo. *Fawl* —4F **55**
Fyeford Clo. *Rown* —3D **20**
Fyfield Clo. *White* —5G **45**

Gables Ct. *Sotn* —4B **22**
Gage Clo. *March* —3E **39**

Gainsborough Clo. *Sotn*
—3C **42**
Gainsborough Ct. *N Bad*
—3F **13**
Gainsford Rd. *Sotn* —6F **31**
Galleon Clo. *Wars* —6D **48**
Gallops, The. *Fare* —5H **49**
Galsworthy Rd. *Tot* —4D **26**
Gamble Clo. *Sotn* —1H **41**
Gamble Rd. *Ports* —4F **5**
Gamma Ho. *Sotn* —6G **13**
Ganger Farm Rd. *Roms* —2F **7**
Gannet Clo. *Hythe* —4F **53**
Gannet Clo. *Sotn* —4F **21**
Garden M. *Wars* —6A **48**
Gardiner Clo. *March* —3E **39**
Garfield Rd. *Net A* —1A **46**
Garfield Rd. *Sotn* —4G **31**
Garland Way. *Tot* —3B **26**
Garnock Rd. *Sotn* —3F **41**
Garratt Clo. *H End* —1A **34**
Garretts Clo. *Sotn* —4A **42**
Garrick Gdns. *Sotn* —3A **42**
Garton Rd. *Sotn* —2G **41**
Gashouse Hill. *Net A* —2C **46**
Gaston Gdns. *Roms* —4C **6**
Gatcombe. *Net A* —6C **42**
Gatcombe Gdns. *W End*
—1A **32**
Gatehouse, The. *W End* —1C **32**
Gaters Hill. *Sotn* —5A **24**
Gatwick Clo. *Sotn* —5E **21**
Gavan St. *Sotn* —6D **32**
Gemini Clo. *Sotn* —5D **20**
Gento Clo. *Bot* —5C **34**
George Curl Way. *Sotn I*
—3H **23**
George Perrett Way. *Chan F*
—3B **14**
George St. *Eastl* —4B **16**
Gerard Cres. *Sotn* —5D **32**
Gibbs Rd. *Sotn* —6B **30** (2D **4**)
Gilbury Clo. *Sotn* —5G **23**
Gilchrist Gdns. *Wars* —2A **50**
Giles Clo. *H End* —2B **34**
Gillcrest. *Fare* —3G **49**
Gilpin Clo. *Sotn* —6E **33**
Gipsy Gro. *Sotn* —4G **29**
Girton Clo. *Fare* —3G **49**
Glades, The. *L Hth* —3E **49**
Glade, The. *Black* —6E **55**
Glade, The. *Chan F* —4H **49**
Gladstone Rd. *Sotn* —6B **32**
Glasslaw Rd. *Sotn* —3A **32**
Glebe Ct. *Bot* —3E **35**
Glebe Ct. *F Oak* —2G **17**
Glebe Ct. *Sotn* —1C **30**
Glencarron Way. *Sotn* —6A **22**
Glencoyne Gdns. *Sotn* —1D **28**
Glenda Clo. *Wars* —1B **50**
Glendale. *L Hth* —5E **49**
Glendowan Rd. *Chan F* —6C **8**
Glen Eyre Clo. *Sotn* —5C **22**
Glen Eyre Dri. *Sotn* —4C **22**
Glen Eyre Rd. *Sotn* —4B **22**
Glen Eyre Way. *Sotn* —5C **22**
Glenfield Av. *Sotn* —4H **31**
Glenfield Cres. *Sotn* —4H **31**
Glenfield Way. *Sotn* —4H **31**
Glenlea Clo. *W End* —2D **32**
Glenlea Dri. *W End* —2D **32**
Glenmore Ct. *Sotn* —3C **30**
Glenn Rd. *W End* —1D **32**
Glen Pk. *Col C* —4H **11**
Glen Rd. *Sotn* —4F **41**

Glen Rd. *Swanw* —6D **44**
(in two parts)
Glenside. *Hythe* —3D **52**
Glenside. *W End* —2D **32**
Glenside Av. *Sotn* —1D **42**
Glenwood Av. *Sotn* —4C **22**
Glenwood Ct. *F Oak* —2H **17**
Gloster Ct. *Seg W* —2G **49**
Gloucester Sq. *Sotn* —6E **5**
Glyn Jones Clo. *Fawl* —3F **55**
Godfrey Olson Ho. *Eastl*
—4B **16**
Goldcrest Gdns. *Sotn* —4E **21**
Goldcrest La. *Tot* —3C **26**
Golden Ct. *W End* —6F **25**
Golden Gro. *Sotn*
—6D **30** (2G **5**)
Golden Hind Pk. *Hythe* —4D **52**
Goldsmith Clo. *Tot* —4D **26**
Goldsmith Rd. *Eastl* —6H **15**
Goldwire Dri. *Chan F* —2B **14**
Golf Course Rd. *Sotn* —4A **22**
Goodacre Dri. *Chan F* —2B **14**
Goodhalls La. *H End* —4G **33**
(in two parts)
Goodison Clo. *F Oak* —6H **17**
Goodlands Va. *H End* —4G **33**
Goodwin Clo. *Sotn* —1B **28**
Goodwood Clo. *Fare* —5H **49**
Goodwood Gdns. *Tot* —3C **26**
Goodwood Rd. *Eastl* —2H **15**
Gordon Av. *Sotn* —3C **30**
Gordon Rd. *Chan F* —4F **9**
Gordon Ter. *Sotn* —3A **42**
Gorse Clo. *L Hth* —5D **48**
Gorselands Rd. *Sotn* —2B **32**
Gort Cres. *Sotn* —1B **42**
Gover Rd. *Sotn* —2A **28**
Grace Dieu Gdns. *Burs* —4F **43**
Graddidge Way. *Tot* —4D **26**
Grafton Gdns. *Sotn* —4G **21**
Graham Ct. *Sotn* —5A **32**
Graham Ho. *Sotn* —5E **31**
Graham Rd. *Sotn* —5C **30**
Graham St. *Sotn* —5E **31**
Grainger Gdns. *Sotn* —2C **42**
Granada Rd. *H End* —6G **33**
Granby Gro. *Sotn* —6D **22**
Grange Clo. *Sotn* —5G **23**
Grange Ct. *Net A* —1B **46**
Grange Ct. *Sotn* —4G **23**
Grange Dri. *H End* —3B **34**
Grange La. *Gos* —4F **5**
(in two parts)
Grange M. *Roms* —3F **7**
Grange Pk. *H End* —2A **34**
Grange Rd. *H End* —3A **34**
Grange Rd. *Net A* —1A **46**
Grange Rd. *Sotn* —2F **29**
Grangewood Ct. *F Oak* —5H **17**
Grangewood Gdns. *F Oak*
—5H **17**
Grantham Av. *Hamb* —4E **47**
Grantham Ct. *Eastl* —5A **16**
Grantham Rd. *Eastl* —5H **15**
(in two parts)
Grantham Rd. *Sotn* —5H **31**
Granville St. *Sotn*
—1D **40** (4H **5**)
Grasdean Clo. *Sotn* —2A **32**
Grasmere. *Eastl* —5H **15**
Grasmere Clo. *W End* —2B **32**
Grasmere Ct. *Sotn* —1C **28**
Grassymead. *Fare* —3G **49**
Grateley Clo. *Sotn* —5H **41**

Gravel Wlk. *Black* —3F **55**
Gray Clo. *Wars* —5D **48**
Grayling Mead. *Roms* —3C **6**
Graylings. *Sotn* —3E **29**
Grays Av. *Hythe* —3F **53**
Grays Clo. *Col C* —5F **11**
Grays Clo. *Roms* —5D **6**
Greatbridge Rd. *Roms* —1B **6**
Gt. Elms Clo. *Holb* —5B **54**
Gt. Well Dri. *Roms* —4D **6**
Greatwood Clo. *Hythe* —4E **53**
Greenacres Dri. *Ott* —2C **10**
Greenaway La. *Wars* —5B **48**
Greenbank Cres. *Sotn* —4B **22**
Green Clo. *Hythe* —2E **53**
Greendale Clo. *Chan F* —1G **15**
Green Fld. Clo. *H End* —1H **43**
Greenfields Av. *Tot* —2E **27**
Greenfields Clo. *Tot* —2E **27**
Greenfinch Clo. *Eastl* —6F **15**
Greenhill La. *Rown* —1C **20**
Greenhill Ter. *Roms* —6A **6**
Greenhill Vw. *Roms* —6A **6**
Green La. *Amp* —4H **7**
Green La. *Black* —5F **55**
Green La. *Bur* —4F **45**
Green La. *Burs* —3F **43**
Green La. *Cal* —5B **18**
Green La. *Chilw* —6B **14**
Green La. *Hamb* —5G **47**
Green La. *Holb* —6B **54**
Green La. *Lwr S* —5B **44**
Green La. *Sotn* —1C **28**
Green La. *Wars* —6D **48**
Greenlea Cres. *Sotn* —4F **23**
Grn. Park Rd. *Sotn* —4C **28**
Greens Clo. *Eastl* —6G **17**
Green, The. *Roms* —3F **7**
Green, The. *Sar G* —1C **48**
Greenways. *Chan F* —1G **15**
Greenways. *Sotn* —4F **23**
Greenwich, The. *Black* —3E **55**
Greenwood Av. *Rown* —3B **20**
Greenwood Clo. *Eastl* —6H **15**
Greenwood Clo. *Roms* —4D **6**
Gregory Gdns. *Cal* —2C **26**
Grenadier Clo. *L Hth* —5F **49**
Grendon Clo. *Sotn* —4D **22**
Grenville Clo. *Sotn* —4A **30**
Grenville Gdns. *Dib P* —5E **53**
Gresley Gdns. *H End* —1A **34**
Greville Rd. *Sotn* —4H **29**
Greyhound Clo. *H End* —6H **25**
Greywell Av. *Sotn* —5G **21**
Greywell Ct. *Sotn* —5G **21**
Griffen Clo. *Eastl* —5E **17**
Griffin Ct. *Sotn* —3E **31**
Griffin Ind. Pk. *Tot* —6E **19**
Griffon Clo. *Burs* —4G **43**
Grosvenor Clo. *Sotn* —1E **31**
Grosvenor Ct. *Roms* —5F **7**
Grosvenor Ct. *Sotn* —2E **31**
(off Grosvenor Clo.)
Grosvenor Gdns. *Sotn* —1E **31**
Grosvenor Gdns. *W End*
—3D **32**
Grosvenor Mans. Sotn —5B **30**
(off Grosvenor Sq.)
Grosvenor M. *Sotn* —1E **31**
Grosvenor Rd. *Chan F* —4G **9**
Grosvenor Rd. *Sotn* —1E **31**
Grosvenor Sq. *Sotn*
—5B **30** (1D **4**)
Grovebury. *L Hth* —5E **49**
Grove Copse. *Sotn* —4C **42**

Grove Gdns. *Sotn* —4B **42**
Grovely Way. *Cram* —3H **7**
Grove M. *Sotn* —3B **42**
Grove Pl. *Sotn* —3B **42**
Grove Rd. *Shaw* —1C **10**
Grove Rd. *Sotn* —4G **29**
Grove St. *Sotn* —1D **40** (4G **5**)
Grove, The. *Burs* —4G **43**
Grove, The. *Net A* —6D **42**
Grove, The. *Sotn* —4B **42**
Guardian Ct. *Sotn* —2C **30**
Guernsey Clo. *Sotn* —6C **20**
Guest Rd. *Eastl* —4D **16**
Guildford Dri. *Chan F* —4D **14**
Guildford St. *Sotn*
—6D **30** (1H **5**)
Guillemot Clo. *Hythe* —3F **53**
Gull Coppice. *White* —6G **45**
Gulls, The. *March* —3D **38**
Gullycroft Mead. *H End* —4H **33**
Gurney Rd. *Sotn* —3G **29**

Hack Dri. *Col C* —5F **11**
Hackworth Gdns. *H End*
—1A **34**
Haddon Dri. *Eastl* —2A **16**
Hadleigh Gdns. *Eastl* —2A **16**
Hadley Fld. *Holb* —3B **54**
Hadrians Clo. *Chan F* —6G **9**
Hadrian Way. *Chilw* —2A **22**
Haflinger Dri. *White* —5F **45**
Haig Rd. *Eastl* —5G **17**
Haileybury Gdns. *H End*
—2A **34**
Halden Clo. *Roms* —3E **7**
Hales Dri. *H End* —6G **33**
Halifax Ct. *W End* —1C **32**
Hallett Clo. *Sotn* —1A **32**
Hall Lands La. *F Oak* —2G **17**
Halstead Rd. *Sotn* —1H **31**
Halterworth Clo. *Roms* —5E **7**
Halterworth La. *Roms & Cram*
—5F **7**
Haltons Clo. *Tot* —2D **26**
Halyards. *Hamb* —3G **47**
Hambert Way. *Tot* —6E **27**
Hamblecliff Ho. *Hamb* —4D **46**
Hamble Cliff Stables. *Hamb*
—4D **46**
Hamble Clo. *Wars* —6A **48**
Hamble Ct. *Chan F* —2F **15**
Hamble Ho. Gdns. *Hamb*
—5G **47**
Hamble La. *Burs* —5F **43**
Hamble La. *Hamb* —4E **47**
Hamble Mnr. Ct. *Hamb* —5G **47**
Hamble Pk. Cvn. Site. *Wars*
—6D **48**
Hambleside Ct. *Hamb* —5F **47**
Hamble Wood. *Bot* —5E **35**
Hamblewood Ct. *Bot* —5E **35**
Hameldon Clo. *Sotn* —4D **28**
Hamilton M. *Hythe* —5F **53**
Hamilton Rd. *Eastl* —4D **16**
Hamilton Rd. *Hythe* —6F **53**
Hamlet Ct. *Fawl* —2H **55**
Hammonds Clo. *Tot* —3E **27**
Hammond's Grn. *Tot* —3D **26**
Hammonds La. *Tot* —3E **27**
Hammonds Way. *Tot* —3E **27**
Hampshire Corporate Pk.
Chan F —4D **14**
Hampshire Ct. *Chan F* —4E **15**
Hampton Clo. *Black* —5E **55**

Hampton Gdns. *Black* —5E **55**
Hampton La. *Black* —3E **55**
Hampton Towers. *Sotn* —5G **41**
Hamtun Cres. *Tot* —2E **27**
Hamtun Gdns. *Tot* —2E **27**
Hamtun Rd. *Sotn* —2C **42**
Hamtun St. *Sotn*
—2B **40** (5D **4**)
Handel Rd. *Sotn* —5B **30** (1C **4**)
Handel Ter. *Sotn* —6A **30** (1B **4**)
Handford Pl. *Sotn* —5B **30**
Hanley Rd. *Sotn* —3H **29**
Hannay Ri. *Sotn* —6D **32**
Hann Rd. *Rown* —3C **20**
Hanns Way. *Eastl* —4A **16**
Hanover Bldgs. *Sotn*
—1C **40** (4E **5**)
Hanover Clo. *Roms* —5B **6**
Hanover Ct. *Hythe* —6E **53**
Hanover Ho. *Tot* —3G **27**
Hanoverian Way. *White* —6G **45**
Harborough Rd. *Sotn* —5B **30**
Harbourne Gdns. *W End*
—1B **32**
Harbour Pde. *Sotn*
—1A **40** (3B **4**)
Harcourt Rd. *Sotn* —3F **31**
Harding La. *F Oak* —4H **17**
(in two parts)
Hardley Ind. Est. *Hythe* —2A **54**
Hardley La. *Hythe* —1B **54**
Hardwicke Clo. *Sotn* —1D **28**
Hardwicke Way. *Hamb* —5D **46**
Hardwick Rd. *Chan F* —1F **15**
Hardy Clo. *L Hth* —3F **49**
Hardy Clo. *Sotn* —5F **29**
Hardy Dri. *Hythe* —4F **53**
Hardy Rd. *Eastl* —6A **16**
Harefield Ct. *Roms* —4E **7**
Harefield Rd. *Sotn* —5E **23**
Hare La. *Twy* —1G **11**
Harewood Clo. *Eastl* —1A **16**
Harland Cres. *Sotn* —2H **29**
Harlaxton Clo. *Eastl* —2H **15**
Harlech Dri. *Chan F* —3C **14**
Harley Ct. *Wars* —6B **48**
Harlyn Rd. *Sotn* —2D **28**
Harold Clo. *Tot* —5D **26**
Harold Rd. *Sotn* —4G **29**
Harrage, The. *Roms* —5C **6**
Harrier Clo. *Sotn* —3F **21**
Harrier Way. *Hythe* —2B **54**
Harris Av. *H End* —3A **34**
Harrison Rd. *Sotn* —6E **23**
Harrison's Cut. *Sotn*
(SO14) —1D **40** (4F **5**)
Harrison's Cut. *Sotn* —2F **29**
(SO15)
Hart Ct. *Sotn* —2H **41**
Hart Hill. *Hythe* —5G **53**
Hartington Rd. *Sotn*
—6D **30** (1H **5**)
Hartley Av. *Sotn* —1D **30**
Hartley Clo. *Dib P* —5E **53**
Hartley Clo. *Eastl* —6G **17**
Hartley Rd. *Eastl* —6G **17**
Hartley Wlk. *Dib P* —5E **53**
Hartsgrove Av. *Black* —5E **55**
Hartsgrove Clo. *Black* —4E **55**
Harvest Rd. *Chan F* —1B **14**
Harvey Ct. *Black* —5E **55**
Harvey Cres. *Wars* —6D **48**
Harvey Gdns. *Hythe* —3F **53**
Harvey Rd. *Eastl* —4E **17**
Harwood Clo. *Tot* —3E **27**

Haselbury Rd. *Tot* —4F **27**
Haselfoot Gdns. *Sotn*—4E **33**
Hatch Mead. *W End* —1C **32**
Hathaway Clo. *Eastl* —3B **16**
Hatherell Clo. *W End* —2D **32**
Hatherley Mans. *Sotn* —4G **29**
Hatley Rd. *Sotn* —3A **32**
Havelock Ct. *Wars* —6A **48**
Havelock Rd. *Sotn*
—6B **30** (1C **4**)
Havelock Rd. *Wars* —6A **48**
Havendale. *H End* —6B **34**
(in two parts)
Havenstone Way. *Sotn* —5G **23**
Haven, The. *Eastl* —1B **16**
Haven, The. *H End* —1H **43**
Haven, The. *L Hth* —3G **49**
Havre Towers. *Sotn* —5G **41**
Haweswater Clo. *Sotn* —2D **28**
Hawfinch Clo. *Sotn* —3F **21**
Hawkeswood Rd. *Sotn* —4E **31**
Hawkhill. *Dib* —3A **52**
Hawkhurst Clo. *Sotn* —4A **42**
Hawkins Ct. *March* —2D **38**
Hawkley Grn. *Sotn* —4H **41**
Hawthorn Clo. *Col C* —5G **11**
Hawthorn Clo. *F Oak* —2F **17**
Hawthorn Clo. *H End* —5B **34**
Hawthorne Rd. *Tot* —3D **26**
Hawthorn La. *Sar G* —2C **48**
Hawthorn Rd. *Hythe* —3D **52**
Hawthorn Rd. *Sotn* —1C **30**
Hawthorns, The. *Eastl* —6G **15**
Hawthorns, The. *March* —4E **39**
(Limes, The)
Hawthorns, The. *March* —4D **38**
(Main Rd.)
Hayburn Rd. *Sotn* —1B **28**
Haydock Clo. *Tot* —3C **26**
Hayes Mead. *Holb* —3B **54**
Hayle Rd. *W End* —1B **32**
Hayley Clo. *Hythe* —6D **52**
Haynes Way. *Dib P* —5C **52**
Hayter Gdns. *Roms* —4D **6**
Hayward Clo. *Tot* —4D **26**
Hayward Ct. *Holb* —4C **54**
Hazel Clo. *Chan F* —3E **9**
Hazel Clo. *Col C* —4G **11**
Hazeldown Rd. *Rown* —4C **20**
Hazeleigh Av. *Sotn* —3G **41**
Hazel Farm Rd. *Tot* —4C **26**
Hazel Gro. *Asht* —2A **36**
Hazel Gro. *L Hth* —5F **49**
Hazel Rd. *Sotn* —1F **41**
Hazelwood Rd. *Sotn* —2A **32**
Headland Dri. *L Hth* —3E **49**
Heath Clo. *F Oak* —3G **17**
Heathcote Rd. *Chan F* —1F **15**
Heatherbrae Gdns. *N Bad*
—3D **12**
Heather Chase. *Eastl* —5G **17**
Heather Clo. *Tot* —4E **27**
Heather Ct. *Sotn* —4C **32**
Heatherdeane Rd. *Sotn* —1C **30**
Heatherdene Rd. *Chan F* —4G **9**
Heatherlands Rd. *Chilw* —1B **22**
Heather Rd. *Fawl* —3F **55**
Heatherstone Av. *Dib P* —6D **52**
Heatherview Rd. *N Bad*
—2D **12**
Heathfield. *Hythe* —4D **52**
Heathfield Clo. *Chan F* —3E **9**
Heathfield Clo. *Sotn* —2C **42**
Heathfield Rd. *Chan F* —3E **9**
Heathfield Rd. *Sotn* —2B **42**

Heath Gdns. *Net A* —6D **42**
Heath Ho. Clo. *H End* —1H **43**
Heath Ho. Gdns. *H End*
—1H **43**
Heath Ho. La. *H End* —1H **43**
Heathlands Clo. *Chan F* —5E **9**
Heathlands Rd. *Chan F* —5E **9**
Heath Rd. *L Hth* —4D **48**
Heath Rd. *N Bad* —4E **13**
Heath Rd. *Sotn* —6A **32**
Heath Rd. N. *L Hth* —3D **48**
Heath Rd. S. *L Hth* —4D **48**
Hedera Rd. *L Hth* —4D **48**
Hedge End Bus. Cen. *H End*
—2H **33**
Hedge End Retail Pk. *H End*
(in two parts) —4G **33**
Hedgerow Clo. *Rown* —2C **20**
Hedgerow Dri. *Sotn* —2B **32**
Hedley Clo. *Fawl* —4F **55**
Hedley Gdns. *H End* —1H **33**
Hedley Wlk. *Black* —4F **55**
Heights, The. *H End* —5G **33**
Helford Gdns. *W End* —1B **32**
Helvellyn Rd. *Sotn* —3D **28**
Hemdean Gdns. *W End* —2D **32**
Hemlock Way. *Chan F* —2B **14**
Hemming Clo. *Tot* —5E **27**
Hemmingway Gdns. *White*
—5G **45**
Henry Clo. *Holb* —2B **54**
Henry Rd. *Eastl* —3D **16**
Henry Rd. *Sotn* —4F **29**
Henry St. *Sotn* —5B **30**
Henstead Ct. *Sotn* —5B **30**
Henstead Rd. *Sotn* —5B **30**
Hensting La. *Fish P* —6H **11**
Henty Rd. *Sotn* —3F **29**
Hepworth Clo. *Sotn* —3C **42**
Herald Ind. Est. *H End* —2H **33**
Herald Rd. *H End* —2H **33**
Herbert Walker Av. *Sotn*
(in two parts) —6E **29** (4A **4**)
Hereward Clo. *Roms* —5E **7**
Heron Sq. *Eastl* —5G **15**
Herons Wood. *Cal* —1D **26**
Herrick Clo. *Sotn* —1D **42**
Hertsfield. *Fare* —4G **49**
Hesketh Ho. *Sotn* —5G **29**
Hestia Clo. *Roms* —4F **7**
Hewetts Ri. *Wars* —1A **50**
Hewitt's Rd. *Sotn* —4D **30**
Hexagon Cen., The. *Chan F*
—5E **15**
Heye's Dri. *Sotn* —2C **42**
Heysham Rd. *Sotn* —3F **29**
Heywood Grn. *Sotn* —6E **33**
Hickory Gdns. *W End* —6C **24**
Highbridge Rd. *Highb & Col C*
—6C **10**
Highbury Clo. *F Oak* —3F **17**
Highclere Rd. *Sotn* —6H **21**
Highclere Way. *Chan F* —4C **14**
Highcliff Av. *Sotn* —3C **30**
Highcliffe Dri. *Eastl* —6A **10**
Highcrown M. *Sotn* —1C **30**
Highcrown St. *Sotn* —1C **30**
Highfield Av. *Sotn* —6B **22**
Highfield Clo. *Chan F* —1G **15**
Highfield Clo. *Sotn* —1C **30**
Highfield Cres. *Sotn* —1D **30**
Highfield La. *Sotn* —1C **30**
Highfield Rd. *Chan F* —1G **15**
Highfield Rd. *Sotn* —2B **30**
Highfields. *Wars* —6D **48**

High Firs Gdns. *Roms* —5F **7**
High Firs Rd. *Roms* —4F **7**
High Firs Rd. *Sotn* —6B **32**
Highgrove Clo. *Tot* —6D **26**
Highlands Clo. *Dib P* —4E **53**
Highlands Clo. *N Bad* —2C **12**
Highlands Ho. *Sotn* —2F **41**
Highlands Way. *Dib P* —4D **52**
Highmeadow. *Sotn* —5C **32**
Highnam Gdns. *Sar G* —3D **48**
High Oaks Clo. *L Hth* —4E **49**
High Rd. *Sotn* —6F **23**
High St. *Bot* —4D **34**
High St. *Burs* —6G **43**
High St. *Eastl* —6A **16**
High St. *Hamb* —5G **47**
High St. *Hythe* —1E **53**
High St. *Sotn* —1C **40** (4D **4**)
High St. *Tot* —4G **27**
High St. *Twy* —1G **11**
High St. *W End* —1C **32**
Hightown Towers. *Sotn* —1E **43**
High Trees. *F Oak* —2H **17**
High Vw. Way. *Sotn* —3H **31**
Highwood La. *Roms* —4F **7**
Hilda Pl. Sotn —6E 31
(off Kent St.)
Hillcrest Av. *Chan F* —1F **15**
Hillcrest Clo. *N Bad* —2D **12**
Hillcrest Dri. *Chan F* —1F **15**
Hill Cft. *Fare* —4H **49**
Hilldene Way. *W End* —2D **32**
Hilldown Rd. *Sotn* —1D **30**
Hill Farm Rd. *Sotn* —5A **30**
Hillgrove Rd. *Sotn* —6H **23**
Hill La. *Col C* —4F **11**
Hill La. *Sotn* —1A **4**
Hill Pl. *Burs* —5H **43**
Hillside Av. *Roms* —5D **6**
Hillside Av. *Sotn* —2G **31**
Hillside Clo. *Chan F* —1F **15**
Hillsons Rd. *Bot* —4F **35**
Hill St. *Cal* —3C **18**
Hilltop Dri. *Sotn* —1D **42**
Hillview Rd. *Hythe* —3D **52**
Hillway, The. *Chan F* —6F **9**
Hillyfields. *Nurs* —5B **20**
Hiltingbury Clo. *Chan F* —4F **9**
Hiltingbury Ct. *Chan F* —4D **8**
Hiltingbury Rd. *Chan F* —4D **8**
Hilton Rd. *H End* —4A **34**
Hinkler Ct. *Sotn* —1D **42**
Hinkler Rd. *Sotn* —5E **33**
Hinton Cres. *Sotn* —6E **33**
Hirst Rd. *Hythe* —3F **53**
Hispano Av. *White* —6G **45**
Hobart Dri. *Hythe* —3E **53**
Hobb La. *H End* —6B **34**
Hobson Way. *Holb* —5D **54**
Hocombe Dri. *Chan F* —3D **8**
Hocombe Pk. Clo. *Chan F*
—3D **8**
Hocombe Rd. *Chan F* —3D **8**
Hocombe Wood Rd. *Chan F*
—3C **8**
Hodder Clo. *Chan F* —2D **14**
Hoe La. *N Bad* —5A **12**
Hogarth Clo. *Roms* —3E **7**
Hogarth Clo. *Sotn* —3C **42**
Hogwood La. *W End* —3E **25**
Holbury Drove. *Holb* —5B **54**
Holcroft Ho. *Sotn* —5E **33**
Holcroft Rd. *Sotn* —6E **33**
Holkham Clo. *Sotn* —6C **20**
Holland Clo. *Chan F* —4E **15**

Kelvin Gro.—Limekiln La.

Kelvin Gro. *Net A* —1C **46**
Kelvin Rd. *Eastl* —5H **15**
Kemps Quay Ind. Pk. *Sotn*
—4F **31**
Kempton Ct. *White* —5G **45**
(off Timor Clo.)
Kendal Av. *Sotn* —2B **28**
Kendal Clo. *Chan F* —6G **9**
Kendal Ct. *Sotn* —2B **28**
Kenilworth Dri. *Eastl* —1A **16**
Kenilworth Gdns. *W End*
—2E **33**
Kenilworth Ho. *Sotn* —5E **31**
(off Princes Ct.)
Kenilworth Rd. *Sotn* —5B **30**
Kenmore Clo. *Tot* —1E **37**
Kennedy Rd. *Sotn* —6D **20**
Kennet Clo. *W End* —6B **24**
Kennett Clo. *Roms* —4F **7**
Kennett Rd. *Roms* —4F **7**
Kensington Clo. *Eastl* —2D **16**
Kensington Fields. *Dib P*
—4B **52**
Kensington Gdns. *Fare* —5G **49**
Kenson Gdns. *Sotn* —1A **42**
Kent Gdns. *Tot* —6D **26**
Kent Ho. *Sotn* —5E **31**
Kentish Rd. *Sotn* —4G **29**
Kent Rd. *Chan F* —4E **15**
Kent Rd. *Sotn* —2E **31**
Kent St. *Sotn* —6E **31**
Kenwyn Clo. *W End* —1B **32**
Kern Clo. *Sotn* —6D **20**
Kerrigan Ct. *Sotn* —3C **30**
Kerry Clo. *Chan F* —1E **15**
Kesteven Way. *Sotn* —3A **32**
Kestrel Clo. *Bot* —2D **34**
Kestrel Clo. *March* —4C **38**
Kestrel Clo. *Sotn* —4F **21**
Kestrel Rd. *Eastl* —5F **15**
Kestrels, The. *Burs* —5F **43**
Keswick Rd. *Sotn* —2F **41**
Kevlyn Cres. *Burs* —4E **43**
Kew La. *Burs* —6G **43**
Keynsham Rd. *Sotn* —5B **32**
Khartoum Rd. *Sotn* —1C **30**
Kielder Clo. *Chan F* —6C **8**
Kilford Ct. *Bot* —5E **35**
Killarney Clo. *Sotn* —2E **43**
Kiln Clo. *Dib P* —3C **52**
Kiln Grn. *Col C* —5G **11**
Kiln La. *Ott & Bram* —3B **10**
(in two parts)
Kilnyard Clo. *Tot* —2D **26**
Kimberley Clo. *F Oak* —2G **17**
Kimberley Ct. *Sotn* —3G **41**
Kimbridge Clo. *Sotn* —4C **20**
Kineton Rd. *Sotn* —2A **30**
King Cup Av. *L Hth* —4D **48**
Kingdom Clo. *Fare* —2H **49**
King Edward Av. *Sotn* —3E **29**
King Edward Pk. Cvn. Pk.
Chan F —4B **8**
Kingfisher Clo. *Hamb* —3G **47**
Kingfisher Copse. *L Hth* —4F **47**
Kingfisher Rd. *Eastl* —5F **15**
Kingfisher Way. *March* —4C **38**
Kingfisher Way. *Roms* —4C **6**
King George's Av. *Sotn* —5D **28**
Kingland Mkt. *Sotn*
—1C **40** (3F **5**)
Kings Av. *Hamb* —4E **47**
Kingsbridge La. *Sotn*
—6B **30** (2C **4**)
Kingsbury Rd. *Sotn* —4D **30**

Kingsclere Av. *Sotn* —4H **41**
Kingsclere Clo. *Sotn* —4H **41**
Kings Clo. *Chan F* —6F **9**
Kings Copse Av. *H End* —1B **44**
Kings Copse Rd. *H End* —1B **44**
Kingsdown Way. *Sotn* —1H **31**
Kings Fld. *Burs* —4G **43**
Kings Fld. Gdns. *Burs* —4G **43**
Kingsfold Av. *Sotn* —6H **23**
Kings Ho. *Sotn* —2C **40** (5F **5**)
Kingsland Ct. *Sotn*
—1C **40** (3F **5**)
Kingsland Ho. *Sotn* —2E **5**
Kingsland Mkt. *Sotn*
—1C **40** (3F **5**)
Kingsland Sq. *Sotn*
—1C **40** (3F **5**)
Kingsley Gdns. *Tot* —4B **26**
Kingsley Rd. *Sotn* —4F **29**
Kingsmead Ct. *Sotn* —2F **29**
King's Pk. Rd. *Sotn* —5C **30**
Kings Ride. *Black* —6E **55**
King's Rd. *Chan F* —1E **15**
Kingston. *Net A* —6C **42**
Kingston Rd. *Sotn* —5H **29**
King St. *Sotn* —2C **40** (5F **5**)
Kingsway. *Chan F* —6F **9**
Kingsway. *Sotn* —6C **30** (2F **5**)
Kingsway Ct. *Chan F* —5G **9**
Kingsway Gdns. *Chan F* —5G **9**
Kingswood. *March* —4E **39**
Kinloss Ct. *Sotn* —4E **21**
Kinross Rd. *Tot* —4F **27**
Kinsbourne Clo. *Sotn* —5E **33**
Kinsbourne Ri. *Sotn* —5F **33**
Kinsbourne Way. *Sotn* —5E **33**
Kinver Clo. *Roms* —3E **7**
Kipling Clo. *White* —4F **45**
Kipling Ct. *Sotn* —4H **41**
Kipling Rd. *Eastl* —4H **15**
Kirk Gdns. *Tot* —6F **27**
Kitchener Rd. *Sotn* —6E **23**
Kites Cft. Clo. *Fare* —6G **49**
Kleves Ct. *Sotn* —5B **32**
Knatchbull Clo. *Roms* —5C **6**
Knellers La. *Tot* —1D **36**
Knighton Rd. *Sotn* —1H **41**
Knights Clo. *Wars* —6C **48**
Knightstone Grange. *Hythe*
—4E **53**
Knightwood Clo. *Asht* —3B **36**
Knightwood Rd. *Chan F* —6B **8**
Knightwood Rd. *Hythe* —4F **53**
Knightwood Vw. *Chan F* —1E **15**
Knotgrass Rd. *L Hth* —5C **48**
Knowle Hill. *Eastl* —6B **10**
Knyght Clo. *Roms* —6D **6**
Kootenay Av. *Sotn* —4E **33**

Laburnum Clo. *N Bad* —2E **13**
Laburnum Ct. *Sotn* —2F **41**
Laburnum Cres. *Hythe* —1A **54**
Laburnum Gro. *Eastl* —4A **16**
Laburnum Ho. *H End* —5B **34**
Laburnum Rd. *H End* —5B **34**
Laburnum Rd. *Sotn* —5E **23**
Lackford Av. *Tot* —5E **27**
Lackford Way. *Tot* —5F **27**
Lacon Clo. *Sotn* —3G **31**
Lady Betty's Dri. *Fare* —1H **49**
Ladycross Rd. *Hythe* —4E **53**
Ladywood. *Eastl* —1H **15**
Lake Ct. *Hurs* —2B **8**
Lake Farm Clo. *H End* —3A **34**

Lake Ho. *Sotn* —5G **29**
Lakeland Gdns. *March* —4C **38**
Lakelands Dri. *Sotn* —5G **29**
Lake Rd. *Chan F* —5G **9**
Lake Rd. *Sotn* —3F **41**
Lakeside Av. *Rown* —4C **20**
Lakewood Clo. *Chan F* —5F **9**
Lakewood Rd. *Asht* —2C **36**
Lakewood Rd. *Chan F* —6F **9**
Lamberhurst Clo. *Sotn* —5A **42**
Lambourne Clo. *Dib P* —5D **52**
Lambourne Dri. *L Hth* —4E **49**
Lambourne Ho. *H End* —5H **33**
Lambourne Rd. *W End* —1B **32**
Lambourn Sq. *Chan F* —1D **14**
Lammas Rd. *Hythe* —4E **53**
Lancaster Clo. *Burs* —4G **43**
Lancaster Ct. *W End* —1D **32**
Lancaster Rd. *Sotn* —6D **20**
Lancelot Clo. *Chan F* —1B **14**
Lance's Hill. *Sotn* —4H **31**
Landguard Rd. *Sotn* —5H **29**
Landseer Rd. *Sotn* —2C **42**
Lands End Rd. *Burs* —6H **43**
Lanehays Rd. *Hythe* —3D **52**
Lane, The. *Fawl* —2H **55**
Langbar Clo. *Sotn* —5G **31**
Langdale Clo. *Sotn* —3D **28**
Langdown Firs. *Hythe* —3E **53**
Langdown Lawn. *Hythe* —4E **53**
Langdown Lawn Clo. *Hythe*
—4E **53**
Langdown Rd. *Hythe* —3E **53**
Langham Clo. *N Bad* —3D **12**
Langhorn Rd. *Sotn* —5E **23**
Langley Lodge Gdns. *Black*
—6F **55**
Langley Rd. *Sotn* —5E **29**
Langrish Rd. *Sotn* —5F **21**
Lansdowne Clo. *Roms* —4B **6**
Lansdowne Ct. *Roms* —4B **6**
Lansdowne Gdns. *Roms* —4B **6**
Lansdowne Hill. *Sotn*
—2B **40** (5D **4**)
Lansdowne Rd. *Sotn* —4E **29**
Lapwing Dri. *Tot* —3C **26**
Larch Av. *Holb* —3C **54**
Larch Clo. *W End* —6D **24**
Larchdale Clo. *Wars* —1B **50**
Larch Rd. *Sotn* —6E **21**
Larch Way. *Burs* —5F **43**
Larchwood Ct. *Sotn* —6H **29**
Larchwood Rd. *Tot* —5C **26**
Lark Rd. *Eastl* —6F **15**
Larkspur Chase. *Sotn* —6E **33**
Larkspur Clo. *L Hth* —5C **48**
Larkspur Dri. *Chan F* —1B **14**
Larkspur Dri. *March* —4C **38**
Larkspur Gdns. *H End* —5A **34**
Larkspur Gdns. *Holb* —4B **54**
Laser Clo. *Wars* —6C **48**
Latchmore Dri. *Dib* —2A **52**
Latelie Clo. *Net A* —2C **46**
Latham Clo. *F Oak* —5H **17**
Latham Ct. *Sotn* —4F **29**
Latham Rd. *F Oak* —5H **17**
Latham Rd. *Roms* —4C **6**
Latimer Ga. *Sotn* —6F **5**
Latimer St. *Roms* —5B **6**
Latimer St. *Sotn* —2C **40** (6F **5**)
Launcelyn Clo. *N Bad* —4D **12**
Launceston Dri. *Eastl* —2H **15**
Laundry Rd. *Sotn* —6E **21**
Laurel Clo. *Hythe* —3D **52**
Laurel Clo. *L Hth* —3F **49**

Laurel Clo. *Sotn* —2F **41**
Laurel Gdns. *L Hth* —3F **49**
Laurel Rd. *L Hth* —3F **49**
Laurence Ct. *F Oak* —2F **17**
Laurie Wlk. *Black* —4F **55**
Lauriston Dri. *Chan F* —4D **8**
Lavender Clo. *Sotn* —6H **31**
Laverstoke Clo. *Rown* —4C **20**
Lavington Gdns. *N Bad* —4D **12**
Lawford Way. *Tot* —4E **27**
Lawn Dri. *L Hth* —5E **49**
Lawn Rd. *Eastl* —3B **16**
Lawn Rd. *Sotn* —3D **30**
Lawnside Rd. *Sotn* —3E **29**
Lawnswood. *F Oak* —3G **17**
Lawrence Ct. *Sotn* —3H **41**
Lawrence Gro. *Sotn* —3H **41**
Lawrence Ho. *Hythe* —2D **53**
Lawson Clo. *Swanw* —5B **44**
Laxton Clo. *L Hth* —4F **49**
Laxton Clo. *Sotn* —3A **42**
Leabrook. *Sar G* —2E **49**
Leafy La. *White* —1H **49**
Leander Clo. *Eastl* —2A **16**
Lea Rd. *Black* —6E **55**
Leaside Way. *Sotn* —4E **23**
Leatherhead Gdns. *H End*
—1B **34**
Lebanon Rd. *Sotn* —4B **28**
Leckford Clo. *Sotn* —3D **32**
Lee Chu. La. *Lee* —1F **19**
Lee Drove. *Roms* —6A **12**
Legion Clo. *Sotn* —5E **23**
Leicester Rd. *Sotn* —1H **29**
Leigh Ct. *F Oak* —4G **15**
Leigh Rd. *Chan F & Eastl*
—3E **15**
Leigh Rd. *Sotn* —2C **30**
Leighton Av. *Sotn* —3F **29**
Leighton Rd. *Sotn* —2G **41**
Lemon Rd. *Sotn* —4F **29**
Lennox Clo. *Chan F* —5G **9**
Lennox Clo. *Sotn* —4D **20**
Leonards Ct. *Sotn* —3A **28**
Lepe Rd. *Black* —6E **55**
Leslie Loader Ct. *Eastl* —2A **16**
Leslie Loader M. *Sotn* —6G **31**
Leven Clo. *Chan F* —5C **8**
Lewes Clo. *Eastl* —1A **16**
Lewin Clo. *Col C* —5F **11**
Lewins Wlk. *Burs* —4F **43**
Lewis Clo. *Dib P* —4A **52**
Lewis Ho. *Sotn* —6C **30** (2F **5**)
Lewis Silkin Way. *Sotn* —5E **21**
Lewry Clo. *H End* —4A **34**
Lexby Rd. *Tot* —5G **27**
Leybourne Av. *Sotn* —3H **31**
Leyton Rd. *Sotn* —5E **31**
Liberty Row. *Hamb* —5G **47**
(off Farm Clo.)
Library Rd. *Fern* —3F **5**
Library Rd. *Tot* —4G **27**
Lichen Way. *March* —3D **38**
Lichfield Rd. *Fare* —4G **49**
Liddel Way. *Chan F* —2D **14**
Lightning Clo. *Fawl* —3F **55**
Lilac Rd. *Sotn* —5D **22**
Lilley Clo. *March* —3D **38**
Lime Av. *Sotn* —6A **32**
Lime Clo. *Col C* —5G **11**
Lime Clo. *Dib P* —4C **52**
Lime Clo. *Sotn* —6A **32**
Lime Gdns. *W End* —6D **24**
Limekiln La. *Holb* —3B **54**
(in two parts)

Lime Kiln La. Est. *Holb* —3B **54**
Limes, The. *March* —4E **39**
Lime St. *Sotn* —2C **40** (5F **5**)
Lime Wlk. *Bot* —4D **34**
Lime Wlk. *Dib P* —4C **52**
Linacre Rd. *Sotn* —6D **32**
Lincoln Clo. *Fare* —4G **49**
Lincoln Clo. *Roms* —3E **7**
Lincoln Ct. *Sotn* —1A **30**
Lincoln Ct. *W End* —1C **32**
Lincolns Ri. *Eastl* —4B **10**
Linda Rd. *Fawl* —2H **55**
Linden Ct. *Park G* —3F **49**
Linden Ct. *Roms* —5B **6**
Linden Ct. *Sotn* —6B **24**
Linden Gdns. *H End* —6B **34**
Linden Gro. *Chan F* —5E **9**
Linden Rd. *Roms* —5C **6**
Linden Rd. *Sotn* —5E **21**
Linden Wlk. *N Bad* —2D **12**
Lindsay Rd. *Sotn* —5E **33**
Lindway. *Park G* —1E **49**
Liners Ind. Est. *Sotn* —5G **29**
Linford Ct. *F Oak* —2F **17**
Linford Cres. *Sotn* —6H **21**
Ling Dale. *Sotn* —2B **22**
Lingdale Pl. *Sotn* —3C **30**
Lingfield Gdns. *Sotn* —1H **31**
Lingwood Clo. *Sotn* —2B **22**
Lingwood Wlk. *Sotn* —2B **22**
Link Rd. *Sotn* —6D **20**
Links Vw. Way. *Sotn* —3B **22**
Linnet Sq. *Eastl* —6F **15**
Linnets, The. *Tot* —3C **26**
Linwood Clo. *Hythe* —4E **53**
Lionheart Way. *Burs* —4F **43**
Lipizzaner Fields. *White* —5F **45**
Lisbon Rd. *Sotn* —5H **29**
Litchfield Cres. *Sotn* —2H **31**
Litchfield Rd. *Sotn* —2H **31**
Lit. Abshot Rd. *Fare* —1F **51**
Littlefield Cres. *Chan F* —1A **14**
Lit. Holbury Pk. Homes. *Holb*
—3B **54**
Lit. Kimble Wlk. *H End* —5A **34**
Lit. Lance's Hill. *Sotn* —4H **31**
Lit. Meads. *Roms* —5A **6**
Lit. Oak Rd. *Sotn* —5B **22**
Lit. Park Clo. *H End* —5H **33**
Lit. Park Farm Rd. *Fare* —2G **49**
Lit. Quob La. *W End* —1E **33**
Lit. Reynolds. *Tot* —6D **26**
Littlewood Gdns. *L Hth* —4C **48**
Littlewood Gdns. *W End*
—2D **32**
Liverpool St. *Sotn* —4C **30**
Livingstone Rd. *Sotn* —3C **30**
Lloyd Av. *March* —4C **38**
Loane Rd. *Sotn* —2H **41**
Lobelia Rd. *Sotn* —5E **23**
Locke Rd. *H End* —3A **34**
Locks Heath Cen. *L Hth* —4E **49**
Locks Heath Pk. Rd. *L Hth*
—6F **49**
Locksley Ct. *Sotn* —4B **30**
Locksley Rd. *Eastl* —6G **15**
Locks Rd. *L Hth* —5E **49**
Lockswood Keep. *L Hth*
—3E **49**
Lockswood Rd. *L Hth* —4D **48**
Lodge Dri. *Dib P* —5D **52**
Lodge Rd. *L Hth* —4F **49**
Lodge Rd. *Sotn* —4C **30**
Lodge, The. *Sotn* —4B **30**

Lofting Clo. *Eastl* —5E **17**
Logan Clo. *Sotn* —4D **20**
Lomax Clo. *H End* —2A **34**
London Rd. *Sotn* —5B **30**
Longacres. *Fare* —3G **49**
Long Beech Dri. *Tot* —5D **26**
Longbridge Clo. *Cal* —1D **26**
Longbridge Ct. *Cal* —1D **26**
Longbridge Ind. Pk. *Sotn*
—2E **41**
Longclose Rd. *H End* —4B **34**
Long Copse. *Holb* —5D **54**
Long Dri. *W End* —1E **33**
Longfield Rd. *F Oak* —3G **17**
Long La. *Burs* —5G **43**
Long La. *Holb* —2B **54**
Long La. *March* —4B **38**
Long La. Clo. *Holb* —5D **54**
Longleat Gdns. *Sotn* —5F **21**
Longmead Av. *Eastl* —3D **16**
Longmeadow Gdns. *Hythe*
—2E **53**
Longmead Rd. *Sotn* —1A **32**
Longmore Av. *Sotn* —3F **41**
Longmore Cres. *Sotn* —3F **41**
Longridge Rd. *H End* —5A **34**
Longstock Clo. *Sotn* —5A **42**
Longstock Cres. *Tot* —4D **26**
Loperwood La. *Cal* —1A **26**
(in two parts)
Lord Mountbatten Clo. *Sotn*
—5G **23**
Lords Hill Cen. E. *Sotn* —5D **20**
Lords Hill Cen. W. *Sotn* —5D **20**
Lord's Hill District Cen. *Sotn*
—5D **20**
Lords Hill Way. *Sotn* —5C **20**
Lordswood. *Highb* —6E **11**
Lordswood Clo. *Sotn* —5H **21**
Lordswood Ct. *Sotn* —5G **21**
Lordswood Gdns. *Sotn* —5H **21**
Lordswood La. *Chilw* —1H **21**
Lordswood Rd. *Sotn* —5G **21**
Loreille Gdns. *Rown* —2C **20**
Lorne Pl. *Sotn* —4A **32**
Lortemore Pl. *Roms* —5B **6**
Loughwood Clo. *Eastl* —1A **16**
Lovage Gdns. *Tot* —4C **26**
Lovage Rd. *White* —6H **45**
Love La. *Roms* —5B **6**
Lwr. Alfred St. *Sotn* —5D **30**
Lwr. Banister St. *Sotn* —5B **30**
Lwr. Brownhill Rd. *Sotn*
—1A **28**
Lwr. Canal Wlk. *Sotn*
—3C **40** (6E **5**)
Lwr. Church Rd. *Fare* —4G **49**
Lwr. Duncan Rd. *Park G*
—2F **49**
Lwr. Moors Rd. *Col C* —4F **11**
Lwr. Mortimer Rd. *Sotn* —2F **41**
Lwr. Mullins La. *Hythe* —3C **52**
Lwr. New Rd. *W End* —2D **32**
Lwr. Northam Rd. *H End*
—5A **34**
Lwr. St Helens Rd. *H End*
—6A **34**
Lwr. Spinney. *Wars* —2A **50**
Lwr. Swanwick Rd. *Swanw*
—5B **44**
Lwr. Vicarage Rd. *Sotn* —2F **41**
Lwr. William St. *Sotn* —5F **31**
Lwr. York St. *Sotn* —5F **31**
Lowford Hill. *Burs* —4F **43**
Lowry Gdns. *Sotn* —3C **42**

Lucas Clo. *Rown* —4D **20**
Luccombe Pl. *Sotn* —1H **29**
Luccombe Rd. *Sotn* —1H **29**
Lucerne Gdns. *H End* —4G **33**
Ludlow Rd. *Sotn* —1G **41**
Lukes Clo. *Hamb* —5G **47**
Lukin Dri. *Nurs* —3A **20**
Lulworth Bus. Cen. *Tot* —1E **27**
Lulworth Clo. *Chan F* —4D **14**
Lulworth Clo. *Sotn* —1C **28**
Lulworth Grn. *Sotn* —1C **28**
Lumsden Av. *Sotn* —4G **29**
Lumsden Mans. *Sotn* —4G **29**
Lundy Clo. *Sotn* —4C **20**
Lunedale Rd. *Dib P* —6C **52**
Lupin Rd. *Sotn* —4E **23**
Luton Rd. *Sotn* —1B **42**
Luxton Clo. *Bot* —3D **34**
Lyburn Clo. *Sotn* —5G **21**
Lyburn Ct. *Sotn* —5G **21**
Lydgate. *Tot* —4D **26**
Lydgate Clo. *Sotn* —1D **42**
Lydgate Grn. *Sotn* —1D **42**
Lydgate Rd. *Sotn* —1D **42**
Lydiard Clo. *Eastl* —2A **16**
Lydlynch Rd. *Tot* —4E **27**
Lydney Rd. *L Hth* —4D **48**
Lyme Clo. *Eastl* —2H **15**
Lymer La. *Sotn* —3A **20**
Lymer Vs. *Nurs* —3A **20**
Lyndale Rd. *Park G* —3F **49**
Lynden Ga. *Sotn* —2A **42**
Lyndhurst Rd. *Asht* —5A **36**
Lyndock Clo. *Sotn* —3G **41**
Lyndock Pl. *Sotn* —3G **41**
Lynn Clo. *W End* —6B **24**
Lynton Ct. *Tot* —5E **27**
Lynton Rd. *H End* —4A **34**
Lynx Clo. *Eastl* —5F **17**
Lyon St. *Sotn* —5C **30**
Lytham Rd. *Sotn* —2A **32**
Lytton Rd. *Hythe* —4F **53**

MacArthur Cres. *Sotn* —3A **32**
Macnaghten Rd. *Sotn* —4F **31**
Maddison St. *Sotn*
—1B **40** (4D **4**)
Maddoxford La. *Bot* —1D **34**
Maddoxford Way. *Bot* —2D **34**
Madeira Rd. *Ports* —3F **5**
Maffey Ct. *Bot* —4E **35**
Magazine La. *March* —3D **38**
Magdalene Way. *Fare* —5G **49**
Magnolia Clo. *Dib* —2A **52**
Magnolia Gro. *F Oak* —2H **17**
Magnolia Rd. *Sotn* —6H **31**
Magpie Dri. *Tot* —4C **26**
Magpie Gdns. *Sotn* —1C **42**
Magpie La. *Eastl* —5G **15**
Main Rd. *Col C & Fish P*
—4G **11**
Main Rd. *Dib* —1A **52**
(Bramshott Hill)
Main Rd. *Dib* —2C **54**
(Long La.)
Main Rd. *March* —4D **38**
Main Rd. *Ott & Comp* —3B **10**
Main Rd. *Tot* —1E **37**
Mainstone. *Roms* —6A **6**
Mainstream Ct. *Eastl* —4D **16**
Majestic Rd. *Nurs* —6H **19**
Malcolm Clo. *Chan F* —4G **9**
Malcolm Clo. *L Hth* —4F **49**
Malcolm Rd. *Chan F* —4G **9**

Malcroft M. *March* —4E **39**
Maldon Clo. *Eastl* —4D **16**
Maldon Rd. *Sotn* —6G **31**
Malibres Rd. *Chan F* —5H **9**
Malin Clo. *Sotn* —5C **20**
Mallard Clo. *Roms* —4C **6**
Mallard Gdns. *H End* —1A **34**
Mallards Rd. *Burs* —6F **43**
Mallett Clo. *H End* —1C **34**
Mallow Clo. *L Hth* —5D **48**
Mallow Rd. *H End* —5G **33**
Mall, The. *Chan F* —6G **9**
Malmesbury Clo. *F Oak* —2F **17**
Malmesbury Ct. *Net A* —2B **46**
Malmesbury Pl. *Sotn* —4H **29**
Malmesbury Rd. *Roms* —4B **6**
Malmesbury Rd. *Sotn* —4H **29**
Malory Clo. *Sotn* —5D **32**
Malthouse Clo. *Roms* —4B **6**
Malthouse Gdns. *March*
—4D **38**
Malvern Dri. *Dib P* —3B **52**
Malvern Gdns. *H End* —1B **34**
Malvern Rd. *Sotn* —1G **29**
Malwood Av. *Sotn* —6H **21**
Malwood Gdns. *Tot* —3C **26**
Malwood Rd. *Hythe* —2D **52**
Malwood Rd. W. *Hythe* —2D **52**
Manaton Way. *H End* —2H **33**
Manchester Rd. *Net A* —2A **46**
Mandela Way. *Sotn*
—6A **30** (1A **4**)
Manley Rd. *Burs* —4F **43**
Manns Clo. *W End* —1C **32**
Manor Clo. *Burs* —4F **43**
Manor Clo. *Tot* —5E **27**
Manor Ct. *Fare* —3H **49**
Manor Cres. *Burs* —4F **43**
Mnr. Farm Clo. *Eastl* —5E **17**
Mnr. Farm Grn. *Twy* —1F **11**
Mnr. Farm Gro. *Eastl* —5E **17**
Mnr. Farm Rd. *Sotn* —2F **31**
Manor Ho. Av. *Sotn* —5C **28**
Manor Rd. *Chilw* —1H **21**
Manor Rd. *Eastl* —5E **17**
Manor Rd. *Holb* —4C **54**
Manor Rd. N. *Sotn* —1G **41**
Manor Rd. S. *Sotn* —2G **41**
Manor Ter. *Burs* —4E **43**
Mansbridge Cotts. *Sotn*
—5H **23**
Mansbridge Rd. *Eastl* —6A **16**
Mansbridge Rd. *Sotn & W End*
—5G **23**
Mansel Ct. *Sotn* —1C **28**
Mansell Clo. *Dib P* —5C **52**
Mansel Rd. E. *Sotn* —2C **28**
Mansel Rd. W. *Sotn* —1B **28**
Mansergh Wlk. *Tot* —3B **26**
Mansion Rd. *Sotn* —5G **29**
Manston Ct. *Sotn* —5D **20**
Maple Clo. *Burs* —5F **43**
Maple Clo. *Roms* —6F **7**
Maple Gdns. *Tot* —5C **26**
Maple Leaf Gdns. *Eastl* —5A **16**
Maple Rd. *Hythe* —6F **53**
Maple Rd. *Sotn* —4G **31**
Maple Sq. *Eastl* —6G **15**
Maples, The. *Chan F* —5E **9**
Mapleton Rd. *H End* —5A **34**
Maplewood Clo. *Tot* —5C **26**
Maplin Rd. *Sotn* —1B **28**
Marathon Pl. *Eastl* —4H **17**
Marchwood By-Pass. *March*
—5F **27**

Marchwood Ind. Est.—Monterey Dri.

Marchwood Ind. Est. *March*
—2E **39**
Marchwood Rd. *Sotn* —5F **29**
Marchwood Rd. *Tot* —1H **37**
Marchwood Ter. March —3D **38**
(off Main Rd.)
Marcus Clo. *Eastl* —5H **17**
Mardale Rd. *Sotn* —3B **28**
Mardale Wlk. *Sotn* —3B **28**
Mardon Clo. *Sotn* —4G **23**
Margam Av. *Sotn* —6H **31**
Marianne Clo. *Sotn* —5D **28**
Marie Rd. *Sotn* —2C **42**
Marina Clo. *Hamb* —5G **47**
Marine Pde. *Sotn*
—1D **40** (4H **5**)
Mariners Clo. *Hamb* —3G **47**
Mariners M. *Hythe* —2E **53**
Mariners Way. *Wars* —6A **48**
Maritime Av. *March* —2E **39**
Maritime Wlk. *Sotn* —3D **40**
Maritime Way. *E Dock* —3C **40**
(in two parts)
Marjoram Way. *White* —6H **45**
Mark Clo. *Sotn* —4F **29**
Marken Clo. *L Hth* —4D **48**
Market Bldgs. *Sotn* —5F **23**
Market Pl. *Roms* —5B **6**
Market Pl. *Sotn* —2C **40** (5E **5**)
Market St. *Eastl* —6B **16**
(in two parts)
Marland Ho. *Sotn*
—6B **30** (2D **4**)
Marlands Shop. Cen. *Sotn*
—1B **40** (2D **4**)
Marlborough Ct. *Chan F*
—3C **14**
Marlborough Ct. *Dib P* —4C **52**
Marlborough Gdns. *H End*
—6H **25**
Marlborough Ho. *Sotn* —3B **30**
Marlborough Rd. *Chan F*
—4G **9**
Marlborough Rd. *Sotn* —3F **29**
Marlhill Clo. *Sotn* —1H **31**
Marlowe Ct. *Sotn* —4H **41**
Marls Rd. *Bot* —4C **34**
Marne Rd. *Sotn* —4A **32**
Marshfield Clo. *March* —4B **38**
Marsh Gdns. *H End* —1A **34**
Marsh Ho. *Sotn* —2C **40** (5F **5**)
Marsh La. *Fawl* —1H **55**
Marsh La. *Sotn* —1C **40** (5G **5**)
Marsh Pde. Hythe —2E **53**
(off Marsh, The)
Marsh, The. *Hythe* —1E **53**
Marston Rd. *Sotn* —6D **32**
Martindale Ter. Sotn —3C **28**
(off Kendal Av.)
Martins, The. *F Oak* —3G **17**
Martley Gdns. *H End* —1A **34**
Marvin Clo. *Bot* —4C **34**
Marvin Way. *Bot* —4C **34**
Marvin Way. *Sotn* —5C **32**
Marybridge Clo. *Tot* —5E **27**
Maryfield. *Sotn* —1D **40** (4G **5**)
Maryland Clo. *Sotn* —6H **23**
Masefield Clo. *Eastl* —4H **15**
Masefield Grn. *Sotn* —5D **32**
Matheson Rd. *Sotn* —3D **20**
Matley Gdns. *Tot* —4B **26**
Maunsell Way. *H End* —2B **34**
Mauretania Ho. *Sotn* —5E **31**
Mauretania Rd. *Nurs* —5H **19**
Maxwell Rd. *Sotn* —2A **42**

Maybray King Way. *Sotn*
—4H **31**
Maybush Ct. *Sotn* —2E **29**
Maybush Rd. *Sotn* —1C **28**
May Clo. *Holb* —5D **54**
May Copse. *Holb* —5D **54**
May Cres. *Holb* —5D **54**
Maycroft Ct. *Sotn* —3B **30**
Mayfair Ct. *Bot* —4E **35**
Mayfair Gdns. *Sotn* —4B **30**
Mayfield Av. *Tot* —3E **27**
Mayfield Rd. *Sotn* —6D **22**
Mayflower Clo. *Chan F* —2D **14**
Mayflower Rd. *Sotn* —3F **29**
Mayflowers, The. *Sotn* —5C **22**
Maynard Rd. *Tot* —4F **27**
Maypole Vs. *Eastl* —5B **10**
Mayridge. *Fare* —4G **49**
May Rd. *Sotn* —4G **29**
Maytree Clo. *F Oak* —2G **17**
Maytree Clo. *L Hth* —4E **49**
Maytree Rd. *Chan F* —3E **9**
Maytree Rd. *Sotn* —5A **32**
Mayvale Clo. *March* —4D **38**
Meacher Clo. *Tot* —3E **27**
Meadbrook Gdns. *Chan F*
—1E **15**
Mead Clo. *Roms* —5E **7**
Mead Ct. *Chan F* —1E **15**
Mead Cres. *Sotn* —6F **23**
Meadcroft Clo. *Wars* —1B **50**
Meadow Av. *L Hth* —3E **49**
Meadow Clo. *N Bad* —4E **13**
Meadow Clo. *Tot* —6F **27**
Meadow Clo. *W End* —1E **33**
Meadowcroft Clo. *Ott* —2C **10**
Meadow Gro. *Chan F* —3E **15**
Meadowhead Rd. *Sotn* —6B **22**
Meadow La. *Hamb* —5G **47**
Meadowmead Av. *Sotn* —4E **29**
Meadowside Clo. *Sotn* —5G **23**
Meadows, The. *Sar G* —2E **49**
Meadow, The. *Roms* —3C **6**
Meadow Way. *Fawl* —2G **55**
Mead Rd. *Chan F* —1E **15**
Meads, The. *Chan F* —2C **14**
Meads, The. *Roms* —5A **6**
Mead, The. *Hythe* —3C **52**
Mears Rd. *F Oak* —2G **17**
Medina Chambers. *Sotn*
—3B **40**
Medina Clo. *Chan F* —2G **15**
Medina Rd. *Sotn* —2F **29**
Medlar Clo. *H End* —5B **34**
Medley Pl. *Sotn* —4E **29**
Medwall Grn. *Sotn* —6D **32**
Medway Dri. *Chan F* —5C **8**
Megan Rd. *W End* —1D **32**
Meggeson Av. *Sotn* —1H **31**
Melbourne Gdns. *H End*
—5A **34**
Melbourne Rd. *H End* —5A **34**
Melbourne St. *Sotn*
—1D **40** (4H **5**)
Melbury Ct. *Sotn* —2B **30**
Melchet Rd. *Sotn* —3C **32**
Melick Clo. *March* —3D **38**
Melrose Ct. *Cal* —2C **26**
(in two parts)
Melrose Rd. *Sotn* —1H **29**
Melville Clo. *Sotn* —4G **21**
Mendip Gdns. *Dib P* —4B **52**
Mendip Rd. *Sotn* —3D **28**
Menzies Clo. *Sotn* —4D **20**
Meon Clo. *Roms* —5F **7**

Meon Ct. *Sotn* —3D **32**
Meon Cres. *Chan F* —2F **15**
Meon Rd. *Fare* —5H **51**
Meon Rd. *Roms* —5F **7**
Mercer Way. *Roms* —4D **6**
Merchants Wlk. *Sotn* —6D **4**
Mercury Clo. *Sotn* —5D **20**
Mercury Gdns. *Hamb* —3G **47**
Merdon Av. *Chan F* —5E **9**
Merdon Clo. *Chan F* —5F **9**
Mere Cft. *Fare* —4H **49**
Meredith Gdns. *Tot* —5D **26**
Meredith Towers. *Sotn* —1E **43**
Meridan Point. Sotn —5C **30**
(off St Mary's Rd.)
Meridians Cross. *Sotn* —3D **40**
Merlin Ct. *Sotn* —2F **41**
Merlin Gdns. *H End* —4H **33**
Merlin Quay. *Sotn* —1E **41**
Merlin Way. *Chan F* —6B **8**
Mermaid Way. *Sotn* —3D **40**
Merrick Way. *Chan F* —5C **8**
Merridale Rd. *Sotn* —1G **41**
Merrieleas Clo. *Chan F* —6E **9**
Merrieleas Dri. *Chan F* —6E **9**
Merriemeade Clo. *Dib P*
—5C **52**
Merriemeade Pde. *Dib P*
—5C **52**
Merritt Ct. *Chan F* —4F **15**
Merrivale Clo. *Hythe* —3C **52**
Merryfield. *Fare* —3G **49**
Merry Gdns. *N Bad* —2E **13**
Merryoak Grn. *Sotn* —6H **31**
Merryoak Rd. *Sotn* —1H **41**
Mersea Gdns. *Sotn* —1A **42**
Mersham Gdns. *Sotn* —4A **32**
Merton Rd. *Sotn* —6D **22**
Methuen St. *Sotn* —4C **30**
Metuchen Way. *H End* —1A **44**
Mews Ct. *Ott* —2B **10**
Mews, The. *Black* —6F **55**
Mews, The. *Chan F* —4E **15**
Mews, The. *Rown* —3D **20**
Meynell Clo. *Eastl* —4H **15**
Michaels Way. *F Oak* —2G **17**
Michael's Way. *Hythe* —2D **52**
Michelmersh Clo. *Rown*
—4C **20**
Michigan Way. *Tot* —3B **26**
Midanbury B'way. *Sotn* —2H **31**
Midanbury Ct. *Sotn* —3G **31**
Midanbury Cres. *Sotn* —2H **31**
Midanbury La. *Sotn* —4G **31**
Midanbury Wlk. *Sotn* —3H **31**
Middlebridge St. *Roms* —6B **6**
Middle Rd. *N Bad* —2E **13**
Middle Rd. *Park G* —2F **49**
Middle Rd. *Sotn* —2A **42**
Middle St. *Sotn* —4C **30**
Middleton Clo. *Sotn* —1A **32**
Midlands Est. *W End* —1C **32**
Midway. *Hythe* —3D **52**
Milbury Cres. *Sotn* —5A **32**
Milford Gdns. *Chan F* —1G **15**
Milkwood Ct. *Tot* —4C **26**
Millais Rd. *Sotn* —2G **41**
Millbank Ho. *Sotn* —5E **31**
Millbank St. *Sotn* —6E **31**
Millbank Wharf. *Sotn* —6E **31**
Millbridge Gdns. *Sotn* —4B **32**
Millbrook Clo. *Chan F* —2D **14**
Millbrook Flyover. *Sotn* —4C **28**
Millbrook Point Rd. *Sotn*
—6D **28**

Millbrook Rd. *Sotn* —4C **28**
Millbrook Rd. E. *Sotn*
—5G **29** (1A **4**)
Millbrook Rd. W. *Sotn* —5F **29**
Millbrook Towers. *Sotn* —1C **28**
Millbrook Trad. Est. *Sotn*
(Manor Ho. Av.)
—4C **28**
Millbrook Trad. Est. *Sotn*
(Tanner's Brook Way) —5D **28**
Mill Clo. *Nurs* —4B **20**
Millcourt. *F Oak* —2G **17**
Millers Way. *Dib P* —4D **52**
Mill Est. Yd. *Sotn* —4A **20**
Mill Hill. *Bot* —5E **35**
Mill Ho. Bus. Cen. *Sotn* —1E **41**
Mill Ho. Cen. *Tot* —4G **27**
Milliken Clo. *Fawl* —3F **55**
Mill La. *Nurs* —5E **19**
Mill La. *Roms* —5A **6**
Mill Pond, The. *Holb* —2B **54**
Mill Rd. *Sotn* —4D **28**
Mill Rd. *Tot* —4G **27**
Millstream Ri. *Roms* —5A **6**
Mill St. *Eastl* —3B **16**
Mill Way. *Tot* —6E **27**
Milne Clo. *Dib P* —4A **52**
Milner Ct. *Sotn* —3G **29**
Milton Gro. *L Hth* —5F **49**
Milton Rd. *Eastl* —2B **16**
Milton Rd. *Sotn* —5A **30**
Milverton Clo. *Tot* —6G **27**
Milverton Ct. *Sotn* —4B **32**
Milverton Rd. *Tot* —5G **27**
Mimosa Dri. *F Oak* —2H **17**
Minden Ho. Roms —5D **6**
(off Chambers Av.)
Minstead Av. *Sotn* —3C **32**
Minster Clo. *Sotn* —5G **29**
Mintern Clo. *Eastl* —2D **16**
Mirror Clo. *Wars* —6D **48**
Misselbrook La. *N Bad* —3H **13**
Missenden Acres. *H End*
—3A **34**
Mistletoe Gdns. *Sar G* —2C **48**
Mitchell Clo. *Fare* —2H **49**
Mitchell Dri. *F Oak* —1F **17**
Mitchell Point. *Hamb* —5E **47**
Mitchell Rd. *Eastl* —5B **16**
Mitchells Clo. *Roms* —5C **6**
Mitchell Way. *Sotn* —3H **23**
Mitre Copse. *Eastl* —5F **17**
Moat Clo. *Holb* —5B **54**
Moat Hill. *Sotn* —6H **23**
Moir Ho. *Dib P* —5C **52**
Monarch Clo. *L Hth* —5E **49**
Monarch Way. *W End* —1F **33**
Monastery Rd. *Sotn* —4G **31**
Mon Cres. *Sotn* —4C **32**
Monks Brook Clo. *Eastl* —6G **15**
Monks Path. *Sotn* —6G **23**
Monks Pl. *Tot* —5D **26**
Monks Rd. *Net A* —1B **46**
Monks Wlk. *Dib P* —6C **52**
Monks Way. *Eastl* —6G **15**
Monks Way. *Sotn* —5G **23**
Monks Wood Clo. *Sotn* —3D **22**
Monkton La. *Tot* —5C **26**
Monmouth Clo. *Chan F* —1D **14**
Monmouth Gdns. *Tot* —6D **26**
Monnow Gdns. *W End* —2B **32**
Montague Av. *Sotn* —2D **42**
Montague Clo. *Sotn* —2D **42**
Montague Ct. *Dib P* —6C **52**
Montague Rd. *Eastl* —4D **16**
Monterey Dri. *L Hth* —5E **49**

Oakhill—Pennycress

Oakhill. *Burs* —4H **43**
Oakhill Clo. *Burs* —4H **43**
Oakhill Clo. *Chan F* —2G **15**
Oakhill Ct. *Chan F* —2G **15**
Oakhill Ter. *Burs* —4H **43**
Oakhurst Clo. *Net A* —1C **46**
Oakhurst Rd. *Sotn* —6C **22**
Oakhurst Way. *Net A* —1C **46**
Oakland Dri. *March* —4C **38**
Oaklands Av. *Tot* —4F **27**
Oaklands Gdns. *Fare* —6G **49**
Oaklands, The. *Chan F* —4H **15**
Oaklands Way. *Dib P* —4A **52**
Oaklands Way. *Fare* —6G **49**
Oaklea Clo. *Sotn* —5B **22**
Oak Leaf Clo. *March* —5C **38**
Oakleigh Cres. *Tot* —5E **27**
Oakleigh Gdns. *Roms* —5D **6**
Oakley Clo. *Holb* —4C **54**
Oakley Ho. *Sotn* —4B **30**
Oakley John Wlk. *Sotn* —5H **31**
Oakley Rd. *Sotn* —2D **28**
Oakmount Av. *Chan F* —3F **15**
Oakmount Av. *Sotn* —2C **30**
Oakmount Av. *Tot* —3F **27**
Oakmount Rd. *Chan F* —6G **9**
Oakridge Rd. *Sotn* —3B **28**
Oak Rd. *Burs* —5F **43**
Oak Rd. *Dib P* —5B **52**
Oak Rd. *Sotn* —3F **41**
Oaks, The. *Burs* —5F **43**
Oaks, The. *Sotn* —6H **31**
Oaktree. *Sotn* —6A **22**
Oaktree Cvn. Pk. *W End*
                    —5D **24**
Oak Tree Clo. *Col C* —5F **11**
Oaktree Gdns. *H End* —5H **33**
Oak Tree Rd. *Sotn* —2F **31**
Oak Tree Way. *Eastl* —2A **16**
Oak Va. *W End* —6B **24**
Oakville Mans. *Sotn* —1C **4**
Oak Wlk. *F Oak* —2F **17**
Oakwood Av. *Ott* —2C **10**
Oakwood Clo. *Chan F* —4F **9**
Oakwood Clo. *Ott* —1C **10**
Oakwood Clo. *Roms* —3E **7**
Oakwood Clo. *Wars* —1B **50**
Oakwood Ct. *Chan F* —4F **9**
Oakwood Ct. *W End* —6E **25**
Oakwood Dri. *Sotn* —4G **21**
Oakwood Rd. *Chan F* —5F **9**
Oakwood Way. *Hamb* —4G **47**
Oatfield Gdns. *Cal* —2C **26**
Oatlands. *Roms* —4C **6**
Oatlands Clo. *Bot* —2D **34**
Oatlands Rd. *Bot* —2D **34**
Oatley Wlk. *Black* —3F **55**
Obelisk Rd. *Sotn* —3F **41**
Occupation La. *Fare* —1H **51**
Ocean Quay. *Sotn* —6E **31**
Ocean Rd. *E Dock* —4C **40**
Ocean Way. *Sotn* —3D **40**
Ocknell Gro. *Dib* —3A **52**
O'Connell Rd. *Eastl* —5G **15**
Octavia Gdns. *Chan F* —6H **9**
Octavia Rd. *Sotn* —5G **23**
Odiham Clo. *Chan F* —4D **14**
Odiham Clo. *Sotn* —1B **28**
Ogle Rd. *Sotn* —1B **40** (3D **4**)
Okement Clo. *W End* —1B **32**
Old Barn Clo. *Cal* —1C **26**
Old Bitumen Rd. *Hythe* —1H **55**
Old Bri. Clo. *Burs* —4H **43**
Old Bri. Ho. Rd. *Burs* —4H **43**
Oldbury Ct. *Sotn* —1B **28**

Old Common. *L Hth* —3E **49**
Old Comn. Gdns. *L Hth* —3E **49**
Old Cracknore Clo. *March*
                    —3D **38**
Oldenburg. *White* —5F **45**
Old Farm Dri. *Sotn* —6H **23**
Old Garden Clo. *L Hth* —5G **49**
Old Ivy La. *W End* —1B **32**
Old Magazine Clo. *March*
                    —3D **38**
Old Mill Way. *Sotn* —2E **29**
Old Parsonage Ct. *Ott* —2C **10**
Old Priory Clo. *Hamb* —5G **47**
Old Rectory Ct. *Tot* —6H **27**
Old Redbridge Rd. *Sotn*
                    —3A **28**
Old Rd. *Roms* —3D **6**
Old Salisbury La. *E Wel* —1A **6**
 (in two parts)
Old School Clo. *Holb* —2B **54**
Old School Clo. *Net A* —6C **42**
Old School Gdns. *W End*
                    —1E **33**
Old Shamblehurst La. *H End*
                    —1A **34**
Old Swanwick La. *Lwr S*
                    —5B **44**
Old Well Clo., The. *Sotn*
                    —2C **42**
Oleander Clo. *L Hth* —2E **49**
Oleander Dri. *Tot* —3B **26**
Olive Rd. *Sotn* —5E **21**
Oliver Rd. *Sotn* —6F **23**
Olivers Clo. *Tot* —4B **26**
Olympic Way. *Eastl* —4G **17**
Omdurman Rd. *Sotn* —1C **30**
Omega Enterprise Pk. *Chan F*
                    —1E **15**
Onibury Clo. *Sotn* —2A **32**
Onibury Rd. *Sotn* —2A **32**
Onslow Rd. *Sotn* —5C **30**
Orchard Av. *Eastl* —6F **17**
Orchard Clo. *Col C* —4F **11**
Orchard Clo. *Fawl* —2H **55**
Orchard Clo. *N Bad* —2D **12**
Orchard Clo. *Tot* —6F **27**
Orchard Ct. *Bot* —4C **34**
Orchard Ho. *Sotn*
                    —2C **40** (5E **5**)
Orchard La. *Roms* —5B **6**
Orchard La. *Sotn* —2C **40** (5F **5**)
Orchard Pl. *Sotn* —2C **40** (6E **5**)
Orchard Rd. *F Oak* —2F **17**
Orchard Rd. *L Hth* —5D **48**
Orchards Way. *Sotn* —1C **30**
Orchards Way. *W End* —2D **32**
Orchard, The. *Chilw* —6A **14**
Orchard, The. *Sotn* —4D **22**
Orchard Way. *Dib P* —4C **52**
Ordnance Rd. *Sotn* —5C **30**
Ordnance Way. *March* —2E **39**
Oregon Clo. *Sotn* —1A **42**
Oriana Way. *Nurs* —5H **19**
Oriel Dri. *Fare* —6G **49**
Oriental Ter. *Sotn*
                    —2C **40** (6E **5**)
Orion Clo. *Sotn* —5D **20**
Orion Ind. Cen. *Sotn* —4G **23**
Orkney Clo. *Sotn* —5C **20**
Ormesby Dri. *Chan F* —4D **8**
Ormond Clo. *F Oak* —4H **17**
Orpen Rd. *Sotn* —2C **42**
Orwell Clo. *Sotn* —2C **28**
Orwell Cres. *Fare* —5G **49**
Osborne Clo. *Net A* —2D **46**

Osborne Dri. *Chan F* —2G **15**
Osborne Gdns. *F Oak* —3G **17**
Osborne Gdns. *Sotn* —2E **31**
Osborne Rd. *Tot* —4G **27**
Osborne Rd. *Wars* —1A **50**
Osborne Rd. N. *Sotn* —2E **31**
Osborne Rd. S. *Sotn* —3D **30**
Oslands La. *Swanw* —6B **44**
Oslo Towers. *Sotn* —5G **41**
Osprey Clo. *March* —4C **38**
Osprey Clo. *Sotn* —4F **21**
Osterley Clo. *Bot* —5C **34**
Osterley Rd. *Sotn* —6G **31**
Otterbourne Ho. *Ott* —3B **10**
Otterbourne Ho. Gdns. *Ott*
                    —3B **10**
Otter Clo. *Eastl* —5F **17**
Ouse Clo. *Chan F* —5C **8**
Outer Circ. *Sotn* —5E **21**
Outlands La. *Curd* —5H **35**
Overbrook. *Hythe* —4D **52**
Overbrook Way. *N Bad* —2C **12**
Overcliff Ri. *Sotn* —5A **22**
Overdell Ct. *Sotn* —4A **30**
Oviat Clo. *Tot* —4B **26**
Ovington Ct. *Sotn* —3D **32**
Ovington Rd. *Eastl* —6A **16**
Owen Rd. *Eastl* —5H **15**
Oxburgh Clo. *Eastl* —2H **15**
Oxford Av. *Sotn* —5C **30** (1F **5**)
Oxford M. *Sotn* —2C **40** (6F **5**)
Oxford Rd. *Sotn* —4C **30**
Oxford St. *Sotn* —2C **40** (6F **5**)
Oxlease Clo. *Roms* —3D **6**
Ozier Rd. *Sotn* —1A **32**

P
Pacific Clo. *Sotn* —3D **40**
Packridge La. *Roms* —6C **12**
Paddocks, The. *Fawl* —2H **55**
Paddock, The. *Cal* —1C **26**
Paddock, The. *Eastl* —1B **16**
Padwell Rd. *Sotn* —4C **30**
Page Clo. *Holb* —6D **54**
Paget St. *Sotn* —2D **40** (5H **5**)
Paignton Rd. *Sotn* —2D **28**
Paimpol Pl. *Roms* —6B **6**
Painswick Clo. *Sar G* —1D **48**
Paling Bus. Pk. *H End* —1H **43**
Pallet Clo. *Col C* —5F **11**
Pallot Clo. *Burs* —4F **43**
Palmers Clo. *F Oak* —2G **17**
Palmerston Ho. *Sotn* —5E **5**
Palmerston Rd. *Sotn*
                    —6C **30** (2E **5**)
Palmerston St. *Roms* —5B **6**
Palm Rd. *Sotn* —6E **21**
Palomino Dri. *White* —6F **45**
Pangbourne Clo. *Sotn* —1A **42**
Pansy Rd. *Sotn* —5C **22**
Pantheon Rd. *Chan F* —6H **9**
Panwell Rd. *Sotn* —4A **32**
Pardoe Clo. *H End* —6A **34**
Parham Dri. *Eastl* —3H **15**
Park Clo. *Hythe* —2F **53**
Park Clo. *March* —4B **38**
Park Ct. *Roms* —2A **12**
Park Ga. Bus. Cen. *Swanw*
                    —1F **49**
Park Glen. *Park G* —3G **49**
Pk. Hill Clo. *Holb* —5C **54**
Parklands. *Sar G* —3E **49**
Parklands. *Sotn* —2G **31**
Parklands. *Tot* —3F **27**
Parklands Clo. *Chan F* —6E **9**

Park La. *Holb* —4B **54**
Park La. *March* —3A **38**
Park La. *Ott & Eastl* —4B **10**
Park La. *Sotn* —6B **30** (1C **4**)
Park Rd. *Chan F* —5E **9**
Park Rd. *Sotn* —5G **29**
Parkside. *Tot* —6F **27**
Parkside Av. *Sotn* —3B **28**
Park St. *Sotn* —3F **29**
Park Vw. *Bot* —4E **35**
Park Vw. *H End* —4H **33**
Parkville Rd. *Sotn* —5F **23**
Park Wlk. *Sotn* —6C **30** (2E **5**)
Park Way. *F Oak* —2H **17**
Parkway Ct. *Chan F* —6F **9**
Parkway Gdns. *Chan F* —6E **9**
Parkway, The. *Sotn* —4C **22**
Pk. Wood Clo. *H End* —4B **34**
Parnell Rd. *Eastl* —5H **15**
Parry Rd. *Sotn* —1D **42**
Parsonage Rd. *Sotn* —5D **30**
Partridge Rd. *Dib P* —5D **52**
Partry Clo. *Chan F* —5C **8**
Passage La. *Wars* —6H **47**
Passfield Av. *Eastl* —6G **15**
Passfield Clo. *Eastl* —5G **15**
Pastures, The. *Fare* —3G **49**
Pat Bear Clo. *Sotn* —3A **28**
Patricia Clo. *W End* —1D **32**
Patricia Dri. *H End* —4B **34**
Paulet Clo. *Sotn* —2A **32**
Paulet Lacave Av. *Sotn* —3B **20**
Pauletts La. *Cal* —1B **26**
Paulson Clo. *Chan F* —5E **9**
Pavilion Rd. *H End* —3C **34**
Pavillion Ct. *Sotn* —4A **30**
Paxton Clo. *H End* —6B **34**
Paynes La. *F Oak* —1F **17**
Payne's Rd. *Sotn* —5G **29**
Paynes Rd. *Sotn* —5G **29**
Peach Rd. *Sotn* —5E **21**
Peak Clo. *Sotn* —3D **28**
Peartree Av. *Sotn* —1G **41**
Pear Tree Clo. *Bot* —1D **34**
Peartree Clo. *Sotn* —1F **41**
Peartree Gdns. *Sotn* —5A **32**
Peartree Rd. *Dib P* —4C **52**
Peartree Rd. *Sotn* —1F **41**
Pebble Clo. *March* —3D **38**
Peel Clo. *Roms* —3F **7**
Peel St. *Sotn* —6E **31**
Peewit Hill Clo. *Burs* —2G **43**
Pegasus Clo. *Hamb* —5F **47**
Pegasus Clo. *Sotn* —5D **20**
Pembers Clo. *F Oak* —2G **17**
Pembrey Clo. *Sotn* —4D **20**
Pembroke Clo. *Eastl* —2H **15**
Pembroke Clo. *Roms* —5C **6**
Pembroke Clo. *Tot* —3G **27**
Pembroke Ct. *Sotn* —2C **30**
Pembroke Rd. *Sotn* —1B **42**
Pendle Clo. *Sotn* —4A **32**
Pendleton Gdns. *Black* —4E **55**
Pendula Way. *Eastl* —2E **17**
Penelope Gdns. *Burs* —4F **43**
Penhale Gdns. *Fare* —6F **49**
Penhale Way. *Tot* —6E **27**
Penistone Clo. *Sotn* —3A **42**
Pennard Way. *Chan F* —3C **14**
Pennine Gdns. *Dib P* —4B **52**
Pennine Ho. *Sotn* —4D **28**
Pennine Rd. *Sotn* —4C **28**
Pennine Way. *Chan F* —3F **15**
Pennington Clo. *Col C* —5F **11**
Pennycress. *L Hth* —5C **48**

Penrhyn Clo. *Eastl* —2H **15**
Penshurst Way. *Eastl* —1A **16**
Pentagon, The. *Black* —3G **55**
Pentire Av. *Sotn* —2H **29**
Pentire Way. *Sotn* —1H **29**
Pentland Clo. *Dib P* —4B **52**
Pentridge Way. *Tot* —6D **26**
Peppard Clo. *Asht* —4A **32**
Peppercorn Way. *H End*
—6H **25**
Pepys Av. *Sotn* —6D **32**
Percivale Rd. *Chan F* —3B **14**
Percy Clo. *Hythe* —1D **52**
Percy Rd. *Sotn* —3E **29**
Peregrine Rd. *Tot* —5C **26**
Pern Dri. *Bot* —4E **35**
Perran Rd. *Sotn* —2B **28**
Perrywood Rd. *Holb* —5C **54**
Perrywood Gdns. *Tot* —3C **26**
Pershore Clo. *L Hth* —4E **49**
Persian Dri. *White* —6F **45**
Peterborough Rd. *Sotn* —4C **30**
Peters Clo. *L Hth* —4C **48**
Peterscroft Av. *Asht* —4A **36**
Peters Rd. *L Hth* —4C **48**
Pettinger Gdns. *Sotn* —3F **31**
Petty Clo. *Roms* —6D **6**
Petworth Gdns. *Eastl* —2A **16**
Petworth Gdns. *Sotn* —4F **21**
Pevensey Clo. *Sotn* —2B **28**
Peverells Rd. *Chan F* —6G **9**
Peverells Wood Av. *Chan F*
—6G **9**
Peverells Wood Clo. *Chan F*
—6H **9**
Peveril Rd. *Sotn* —1G **41**
Pewitt Hill. *Burs* —2G **43**
(in two parts)
Pewsey Pl. *Sotn* —1H **29**
Phi Ho. *Sotn* —6G **13**
Phillimore Rd. *Sotn* —5F **23**
Phillips Clo. *Rown* —3C **20**
Philpott Dri. *March* —4D **38**
Phoenix Clo. *Burs* —4G **43**
Phoenix Ind. Pk. *Eastl* —5C **16**
Pickwick Clo. *Tot* —4B **26**
Pilands Wood Rd. *Burs* —5F **43**
Pilchards Av. *F Oak* —4H **17**
Pilgrim Pl. *Sotn* —5G **23**
Pilgrims Clo. *Chan F* —2B **14**
Pimpernel Clo. *L Hth* —5C **48**
Pine Clo. *Asht* —2C **36**
Pine Clo. *Dib P* —4D **52**
Pine Clo. *N Bad* —2D **12**
Pine Cres. *Chan F* —4E **9**
Pine Dri. *Sotn* —4D **32**
Pine Dri. E. *Sotn* —4E **33**
Pinefield Rd. *Sotn* —1H **31**
Pinegrove Rd. *Sotn* —2H **41**
Pinehurst Rd. *Sotn* —2B **22**
Pinelands Ct. *Sotn* —5G **23**
Pinelands Rd. *Chilw* —1B **22**
Pine Rd. *Chan F* —4D **8**
Pine Rd. *Roms* —6F **7**
Pines, The. *Sotn* —6F **21**
Pine Vw. Clo. *Burs* —4G **43**
Pine Wlk. *Chilw* —2A **22**
(in two parts)
Pine Wlk. *Sar G* —2E **49**
Pine Way. *Sotn* —2B **22**
Pinewood. *Sotn* —3B **22**
Pinewood Clo. *Roms* —3F **7**
Pinewood Cres. *Hythe* —4F **53**
Pinewood Dri. *Hythe* —5F **53**
Pinewood Pk. *Sotn* —6F **33**

Pinto Clo. *White* —6G **45**
Pipers Clo. *Tot* —5D **26**
Piping Clo. *Col C* —5F **11**
Piping Grn. *Col C* —5F **11**
Piping Rd. *Col C* —5F **11**
Pirelli St. *Sotn* —1B **40** (3C **4**)
Pirrie Clo. *Sotn* —2H **29**
Pitchponds Rd. *Wars* —1A **50**
Pitmore Clo. *Eastl* —5B **10**
Pitmore Rd. *Eastl* —5B **10**
Pitt Rd. *Sotn* —5G **29**
Plaitford Wlk. *Sotn* —2D **28**
Plantation Dri. *March* —4C **38**
Platform Rd. *Sotn*
—3C **40** (6F **5**)
Players Cres. *Tot* —6E **27**
Plaza Pde. *Roms* —5C **6**
Plover Clo. *Sotn* —4F **21**
Ploverfield. *Burs* —5H **43**
Plover Rd. *Tot* —4C **26**
Pointout Clo. *Sotn* —6A **22**
Pointout Rd. *Sotn* —6A **22**
Polesden Clo. *Chan F* —5D **8**
Poles La. *Ott* —1A **10**
Polygon, The. *Sotn*
—6A **30** (1B **4**)
Pond Clo. *March* —3D **38**
Pondhead Clo. *Holb* —5C **54**
Pond Rd. *Sar G* —1D **48**
Pooksgreen. *March* —3A **38**
Poole Rd. *Sotn* —1G **41**
Popes La. *Tot* —4F **27**
Poplar Dri. *March* —4B **38**
Poplar Rd. *Sotn* —5H **31**
Poplar Way. *H End* —4B **34**
Poplar Way. *N Bad* —2D **12**
Poppy Clo. *L Hth* —5D **48**
Poppyfields. *Chan F* —1C **14**
Poppy Rd. *Sotn* —4E **23**
Porchester Rd. *Sotn* —2G **41**
Porlock Rd. *Sotn* —1B **28**
Portal Rd. *Eastl* —4D **16**
Portal Rd. *Sotn* —1B **42**
Portal Rd. *Tot* —4D **26**
Portchester Rd. *Eastl* —6A **10**
Portcullis Ho. *Sotn* —3C **40**
(off Central Rd.)
Portelet Ho. *Sotn* —6B **20**
Portelet Pl. *H End* —6A **34**
Porteous Cres. *Chan F* —1H **15**
Portersbridge M. *Roms* —5B **6**
Portersbridge St. *Roms* —5B **6**
Porter's La. *Sotn*
—2B **40** (6D **4**)
Port Hamble. *Hamb* —4G **47**
Portland St. *Sotn* —1B **40** (3D **4**)
Portland Ter. *Sotn*
—1B **40** (2D **4**)
Portside Clo. *March* —2E **39**
Portsmouth Rd. *Burs* —4G **43**
Portsmouth Rd. *Fish P* —6H **11**
Portsmouth Rd. *Sotn & Burs*
—2F **41**
Portswood Av. *Sotn* —3D **30**
Portswood Cen. *Sotn* —2D **30**
Portswood Pk. *Sotn* —3D **30**
Portswood Rd. *Sotn* —3D **30**
Portview Rd. *Sotn* —1H **31**
Portway Clo. *Sotn* —4B **32**
Posbrook La. *Fare* —4H **51**
Postern Ct. *Sotn* —2B **40** (5D **4**)
Potters Heron Clo. *Amp* —2A **8**
Potters Heron La. *Amp* —2A **8**
Poulner Clo. *Sotn* —4A **42**
Pound Ga. Dri. *Fare* —6G **49**

Pound La. *Amp* —1G **13**
Pound La. *Tot* —2E **37**
Pound Rd. *Burs* —4E **43**
Pound St. *Sotn* —4A **32**
Pound Tree Rd. *Sotn*
—1C **40** (3E **5**)
Powell Cres. *Tot* —6F **27**
Precinct, The. *H End* —5A **34**
Precinct, The. *Holb* —4C **54**
Precosa Rd. *Bot* —6C **34**
Prelate Way. *Titch* —5G **49**
Premier Cen., The. *Roms*
—6G **7**
Premier Pde. *Sotn* —6H **23**
Premier Way. *Roms* —2B **12**
Preshaw Clo. *Sotn* —5G **21**
Prestwood Rd. *H End* —5A **34**
Pretoria Rd. *H End* —6H **33**
Priest Cft. *Black* —3E **55**
Priestcroft Dri. *Black* —3E **55**
Priestfields. *Fare* —5G **49**
Priestlands. *Roms* —4B **6**
Priestlands Clo. *W'lnds* —5A **26**
Priestley Clo. *Tot* —4D **26**
Priestwood Clo. *Sotn* —4D **32**
Primate Rd. *Fare* —4H **49**
Primrose Clo. *Chan F* —3B **14**
Primrose Clo. *H End* —6A **34**
Primrose Rd. *Sotn* —5C **22**
Primrose Way. *L Hth* —5D **48**
Primrose Way. *Roms* —4F **7**
Prince of Wales Av. *Sotn*
—4E **29**
Prince Rd. *Rown* —3C **20**
Princes Ct. *Sotn* —5E **31**
Princes Ho. Sotn —5E 31
(off Princes Ct.)
Prince's Rd. *Roms* —4B **6**
Princes Rd. *Sotn* —5H **29**
Princess Clo. *W End* —1E **33**
Princess Rd. *Asht* —3B **36**
Princes St. *Sotn* —5E **31**
Prince William Ct. *Eastl* —5F **17**
Priors Hill La. *Burs* —5E **43**
Priory Av. *Sotn* —2F **31**
Priory Clo. *Sotn* —2F **31**
Priory Ho. *Sotn* —6C **30** (2F **5**)
Priory Rd. *Eastl* —6H **15**
Priory Rd. *Net A* —1B **46**
Priory Rd. *Sotn* —2E **31**
Proctor Clo. *Sotn* —6D **32**
Proctor Dri. *N Bad* —4D **12**
Promenade, The. *Hythe* —1E **53**
Prospect Ho. *Sotn* —6H **31**
Prospect Pl. *Chan F* —1E **15**
Prospect Pl. *Hythe* —1E **53**
Providence Hill. *Burs* —3G **43**
Prunus Clo. *Sotn* —4G **21**
Pudbrooke Gdns. *H End*
—3H **33**
Pudbrook Ho. *Bot* —5D **34**
Puffin Clo. *Sotn* —4F **21**
Purbrook Clo. *Sotn* —5G **21**
Purcell Rd. *Sotn* —2D **42**
Purkess Clo. *Chan F* —6F **9**
Purlieu Dri. *Dib P* —4B **52**
Purvis Gdns. *Sotn* —3B **42**
Pycroft Clo. *Sotn* —6A **32**
Pyland's La. *Burs* —2H **43**
Pylewell Rd. *Hythe* —1E **53**

Quadrangle, The. *Roms* —6G **7**
Quantock Rd. *Sotn* —3C **28**

Quantocks, The. *Dib P* —4B **52**
Quay Haven. *Swanw* —6B **44**
Quay La. *Lwr S* —6B **44**
Quayside. *Bot* —5E **35**
Quayside Rd. *Sotn* —4E **31**
Quayside Wlk. *March* —2D **38**
Quay, The. *Hamb* —5G **47**
Quebec Gdns. *Burs* —4F **43**
Queen Elizabeth Ct. *Sotn*
—6E **23**
Queens Bldgs. *Sotn*
—1C **40** (4F **5**)
Queens Clo. *Hythe* —3F **53**
Queen's Clo. *Roms* —5D **6**
Queen's Ct. *Sotn* —6A **30** (1B **4**)
Queens Ho. *Sotn*
—2C **40** (5E **5**)
Queens Ride. *N Bad* —3C **12**
Queens Rd. *Chan F* —4F **9**
Queen's Rd. *Sotn* —1G **29**
Queens Rd. *Wars* —1A **50**
Queens Ter. *Sotn* —2C **40** (6F **5**)
Queenstown Rd. *Sotn* —5H **29**
Queens Vw. *Net A* —1B **46**
Queen's Way. *Sotn*
—2C **40** (6E **5**)
Querida Clo. *Lwr S* —5B **44**
Quilter Clo. *Sotn* —1D **42**
Quob Farm Clo. *W End* —6E **25**
Quob La. *W End* —5E **25**

Rachel Clo. *Eastl* —5H **17**
Radcliffe Ct. *Sotn* —5D **30**
Radcliffe Rd. *Sotn*
—6D **30** (1H **5**)
Radleigh Gdns. *Tot* —3B **26**
Radley Clo. *H End* —2A **34**
Radstock Rd. *Sotn* —2F **41**
Radway Cres. *Sotn* —3H **29**
Radway Rd. *Sotn* —3H **29**
Raeburn Dri. *H End* —4A **34**
Raglan Clo. *Chan F* —3B **14**
Raglan Ct. *Eastl* —1A **16**
Raglan Ct. *Park G* —2E **49**
Railway Cotts. *Sotn* —3A **28**
(in two parts)
Railway Vw. Rd. *Sotn* —3E **31**
Rainbow Pl. *Sotn* —5G **29**
Raley Rd. *L Hth* —5E **49**
Ralph La. *Roms* —3D **6**
Ramalley La. *Chan F* —5D **8**
(in two parts)
Rampart Rd. *Sotn* —4F **31**
Randall Clo. *Cal* —1C **26**
Randall Rd. *Chan F* —3F **9**
Randolph St. *Sotn* —4G **29**
(in two parts)
Ranelagh Gdns. *Sotn* —4A **30**
Ranfurly Gdns. *Dib P* —5C **52**
Range Gdns. *Sotn* —2B **42**
Ranmore Ct. Dib —3A 52
(off Hawkhill)
Ratcliffe Rd. *Dib P* —5D **52**
Ratcliffe Rd. *H End* —4A **34**
Ratlake La. *Win* —1B **8**
Rattigan Gdns. *White* —5G **45**
Raven Rd. *Sotn* —5D **30**
Ravenscroft Clo. *Burs* —4F **43**
Ravenscroft Way. *Bot* —2D **34**
Raven Sq. *Eastl* —5F **15**
Ravenswood. *Fare* —4G **49**
Raymond Clo. *Holb* —5D **54**
Raymond Clo. *W End* —6F **25**
Raymond Rd. *Sotn* —3H **29**

Rayners Gdns—Ryecroft

Rayners Gdns. *Sotn* —5F **23**
Reading Room La. *Curd*
　　　　　　　—3H **35**
Recess, The. *Eastl* —2B **16**
Rectory Ct. *Bot* —4D **34**
Redbridge Causeway. *Sotn*
　　　　　　　—3H **27**
Redbridge Flyover. *Sotn*
　　　　　　　—3A **28**
Redbridge Hill. *Sotn* —2D **28**
Redbridge La. *Sotn & Nurs*
　　　　　　　—1A **28**
Redbridge Rd. *Sotn* —3A **28**
Redbridge Towers. *Sotn*
　　　　　　　—3A **28**
Redcar St. *Sotn* —3F **29**
Redcote Clo. *Sotn* —4B **32**
Redcourt. *Sotn* —5B **22**
Redcroft La. *Burs* —4G **43**
Redfords, The. *Tot* —2E **27**
Redhill. *Sotn* —5A **22**
Redhill Clo. *Sotn* —5A **22**
Redhill Cres. *Sotn* —5A **22**
Redhill Way. *Sotn* —5A **22**
Redlands Dri. *Sotn* —5H **31**
Red Lodge. *Chan F* —4D **14**
Redmoor Clo. *Sotn* —5H **31**
Red Oaks Dri. *Park G* —2G **49**
Redrise Clo. *Holb* —5B **54**
Redward Rd. *Rown* —4D **20**
Redwing Gdns. *Tot* —3C **26**
Redwood Clo. *Dib P* —3A **52**
Redwood Clo. *W End* —1C **32**
Redwood Gdns. *Tot* —5C **26**
Redwood Way. *Sotn* —3C **22**
Reed Dri. *March* —3D **38**
Reeves Way. *Burs* —4F **43**
Regent Clo. *Ott* —1C **10**
Regent Ct. *Sotn* —2C **30**
Regent Ho. *F End* —1A **34**
Regent Rd. *Chan F* —1F **15**
Regents Ct. *Sotn* —3F **29**
Regents Ga. *Sar G* —2C **48**
Regents Gro. *Sotn* —2F **29**
Regent's Pk. Gdns. *Sotn*
　　　　　　　—4F **29**
Regent's Pk. Rd. *Sotn* —5E **29**
Regent St. *Sotn* —1B **40** (3D **4**)
Reginald Mitchell Ct. *Eastl*
　　　　　　　—3H **15**
Reliant Clo. *Chan F* —2D **14**
Renda Rd. *Holb* —4C **54**
Renown Clo. *Chan F* —2D **14**
Repton Gdns. *H End* —1B **34**
　　(in two parts)
Reservoir La. *H End* —5G **33**
Retreat, The. *Eastl* —3B **16**
Retreat, The. *Tot* —6G **27**
Rex Est. *Chan F* —2F **15**
Reynolds Ct. *Roms* —6D **6**
Reynolds Dale. *Asht* —6D **26**
Reynolds Rd. *F Oak* —3G **17**
Reynolds Rd. *Sotn* —3G **29**
Rhinefield Clo. *Eastl* —5F **17**
Rhyme Hall M. *Fawl* —2H **55**
Ribble Clo. *Chan F* —2F **15**
Ribble Ct. *Sotn* —2C **28**
Richards Clo. *Black* —3F **55**
Richards Clo. *L Hth* —4E **49**
Richards Ct. *Sotn* —2F **29**
Richards St. *W End* —1C **32**
Richard Taunton Pl. *Sotn*
　　　　　　　—1C **30**
Richlans Rd. *H End* —5A **34**
Richmond Clo. *Cal* —2B **26**

Richmond Clo. *Chan F* —4E **9**
Richmond Gdns. *Sotn* —2D **30**
Richmond La. *Roms* —3D **6**
Richmond Pk. *Ott* —1D **10**
Richmond Rd. *Sotn* —5G **29**
Richmond St. *Sotn*
　　　　　　　—2C **40** (5F **5**)
Richville Rd. *Sotn* —3E **29**
Ridding Clo. *Sotn* —2F **29**
Ridge La. *Bot* —2H **45**
Ridgemount Av. *Sotn* —4B **22**
Ridgemount La. *Sotn* —4B **22**
Ridgeway Clo. *Chan F* —2G **15**
Ridgeway Clo. *F Oak* —1F **17**
Ridgeway Wlk. *Chan F* —2G **15**
Ridgewood Clo. *Dib* —2A **52**
Ridings, The. *Eastl* —5G **17**
Ridley Clo. *Holb* —4C **54**
Rigby Rd. *Sotn* —3D **30**
Rimington Gdns. *Roms* —2E **7**
Ring, The. *Chilw* —2A **22**
Ringwood Dri. *N Bad* —2C **12**
Ringwood Rd. *Tot* —4A **26**
Ripplewood. *March* —4E **39**
Ripstone Gdns. *Sotn* —6D **22**
Ritchie Ct. *Sotn* —1B **42**
Riverdene Pl. *Sotn* —3F **31**
River Grn. *Hamb* —5G **47**
Rivermead Clo. *Roms* —5A **6**
Rivermead Ho. *Roms* —5A **6**
River M. *Eastl* —4D **16**
Riversdale Clo. *Sotn* —5G **41**
Riverside. *Eastl* —4D **16**
Riverside Cvn. Pk. *Hamb*
　　　　　　　—2G **47**
Riverside Ct. *Sotn* —3F **31**
Riverside Gdns. *Roms* —6A **6**
River Vw. *Tot* —6F **27**
River Vw. Ho. *Sotn* —2F **41**
River Vw. Rd. *Sotn* —1F **31**
Riverview Ter. *Swanw* —5B **44**
River Wlk. *Sotn* —6G **23**
R. J. Mitchell Cen., The. *Sotn*
　　　　　　　—1E **41**
Robard Ho. *Burs* —4F **43**
Robere Ho. *Sotn* —2G **41**
Robert Cecil Av. *Sotn* —5G **23**
Robert Ho. *Roms* —4C **6**
Roberts Rd. *Hythe* —2D **52**
Roberts Rd. *Sotn*
　　　　　　　—6H **29** (1A **4**)
Roberts Rd. *Tot* —5F **27**
Robert Whitworth Dri. *Roms*
　　　　　　　—3C **6**
Robin Gdns. *Tot* —3C **26**
Robinia Grn. *Sotn* —4G **21**
Robin's Mdw. *Fare* —6G **49**
Robin Sq. *Eastl* —5E **15**
Rochester St. *Sotn*
　　　　　　　—6E **31** (1H **5**)
Rockall Clo. *Sotn* —4C **20**
Rockery Clo. *Dib* —2A **52**
Rockleigh Dri. *Tot* —1D **36**
Rockleigh Rd. *Sotn* —6H **21**
Rockram Gdns. *Dib* —3A **52**
Rockstone Ct. *Sotn* —5C **30**
Rockstone La. *Sotn* —5C **30**
Rockstone Pl. *Sotn* —5B **30**
Rodney Ct. *Sotn* —1C **42**
Roewood Clo. *Holb* —5C **54**
Roewood Rd. *Holb* —5C **54**
Rogers Clo. *Eastl* —3E **17**
Rogers Rd. *Eastl* —3E **17**
Roker Way. *F Oak* —6H **17**
Rollestone Rd. *Holb* —5B **54**

Roman Clo. *Chan F* —6G **9**
Roman Dri. *Chilw* —2A **22**
Roman Gdns. *Dib P* —5B **52**
Roman Rd. *Chilw & Sotn*
　　　　　　　—1B **22**
Roman Rd. *Dib P* —3A **52**
Roman Rd. *Hythe* —2B **54**
Roman Way. *Dib P* —5B **52**
Romford Rd. *Wars* —1B **50**
Romill Clo. *W End* —6B **24**
Romsey By-Pass. *Roms* —6A **6**
Romsey Clo. *Eastl* —4A **16**
Romsey Ct. *Sotn* —5H **29**
Romsey Ind. Est. *Roms* —4B **6**
Romsey Rd. *Eastl* —4A **16**
Romsey Rd. *Nurs & Sotn*
　　　　　　　—2A **20**
Romsey Rd. *Ower & Roms*
　　　　　　　—2A **18**
Ronald Pugh Ct. *Sotn* —5G **23**
Rookery Av. *White* —6F **45**
Rookley. *Net A* —6C **42**
Rooksbridge. *Dib* —3A **52**
Rookwood Clo. *Eastl* —1B **16**
Rope Wlk. *Hamb* —5G **47**
Ropley Clo. *Sotn* —5A **42**
Rosebank Clo. *Rown* —4C **20**
Rosebank Lodge. *Rown*
　　　　　　　—4C **20**
Rosebery Av. *Hythe* —4E **53**
Rosebery Cres. *Eastl* —1B **16**
Rosebrook Ct. *Sotn* —4G **31**
Rose Clo. *H End* —3A **34**
Rose Clo. *Hythe* —4E **53**
Rosedale Av. *Roms* —5D **6**
Rosehip Clo. *F Oak* —6G **17**
Roselands. *Sotn* —3D **32**
Roselands Clo. *F Oak* —4H **17**
Roselands Gdns. *Sotn* —1C **30**
Roseleigh Dri. *Tot* —5E **27**
Rosemary Ct. *Tot* —4B **26**
Rosemary Gdns. *H End* —6A **34**
Rosemary Gdns. *White* —5H **45**
Rosemary Price Ct. *H End*
　　　　　　　—3A **34**
Rosemoor Gro. *Chan F* —4D **8**
Rosendale Rd. *Chan F* —3F **15**
Rose Rd. *Sotn* —3C **30**
Rose Rd. *Tot* —5G **27**
Rosewall Rd. *Sotn* —6D **20**
Rosewood Gdns. *March*
　　　　　　　—4E **39**
Rosoman Ct. *Sotn* —1H **41**
Rosoman Rd. *Sotn* —1H **41**
Rossan Av. *Wars* —1B **50**
Ross Gdns. *Sotn* —1E **29**
Rossington Av. *Sotn* —4H **31**
Rossington Way. *Sotn* —4H **31**
Rosslyn Clo. *N Bad* —3E **13**
Ross M. *Net A* —2A **46**
Roston Clo. *Sotn* —6A **24**
Rosyth Rd. *Sotn* —4H **31**
Rotary Ct. *Net A* —1B **46**
Rotary Ho. *Sotn* —2H **29**
Rothbury Clo. *Sotn* —1A **42**
Rothbury Clo. *Tot* —2D **26**
Rother Clo. *W End* —2B **32**
Rother Dale. *Sotn* —2E **43**
Rothsbury Dri. *Chan F* —1D **14**
Rothschild Clo. *Sotn* —4G **41**
Rothville Pl. *Chan F* —3D **8**
Rotterdam Towers. *Sotn*
　　　　　　　—5H **41**
Roughdown La. *Holb* —6C **54**
Round Copse. *Dib* —3A **52**

Roundhill Clo. *Sotn* —2A **32**
Roundhouse Dri. *Tot* —5B **26**
Routs Way. *Rown* —2C **20**
Rowan Clo. *Burs* —5F **43**
Rowan Clo. *Roms* —6F **7**
Rowan Clo. *Sotn* —6E **21**
Rowan Clo. *Tot* —5D **26**
Rowan Ct. *Sotn* —1G **29**
　　(SO16)
Rowan Ct. *Sotn* —2H **41**
　　(SO19)
Rowan Gdns. *H End* —5B **34**
Rowans, The. *March* —4D **38**
Rowborough Rd. *Sotn* —3H **31**
Rowe Asheway. *L Hth* —4D **48**
Rowhill Dri. *Dib* —3A **52**
Rowlands Clo. *Chan F* —3C **14**
Rowlands Wlk. *Sotn* —1A **32**
Rowley Clo. *Bot* —3D **34**
Rowley Ct. *Bot* —3D **34**
Rowley Dri. *Bot* —3D **34**
Rownhams Clo. *Rown* —3C **20**
Rownhams Ct. *Sotn* —6D **20**
Rownhams Ho. *Sotn* —3C **20**
Rownhams La. *N Bad & Rown*
　　　　　　　—2D **12**
Rownhams La. *Rown* —4D **20**
　　(in two parts)
Rownhams Pk. *Rown* —1C **20**
Rownhams Rd. *N Bad* —4E **13**
Rownhams Rd. *Sotn* —1D **28**
Rownhams Rd. N. *Sotn* —3D **20**
Rownhams Way. *Rown* —3C **20**
Rowse Clo. *Roms* —3C **6**
Roxburgh Ho. *L Hth* —4E **49**
Royal Ct. *Sotn* —1D **30**
Royal Cres. Rd. *Sotn*
　　　　　　　—2D **40** (6G **5**)
Royal London Pk. *H End*
　　　　　　　—3H **33**
Roy's Copse. *Dib* —2A **52**
Royston Av. *Eastl* —2A **16**
Royston Clo. *Sotn* —1D **30**
Royston Ct. *Tot* —2E **27**
Rozel Ct. *Sotn* —6C **20**
Ruby Rd. *Sotn* —5A **32**
Rufford Clo. *Eastl* —1A **16**
Rufus Clo. *Chan F* —5G **9**
Rufus Clo. *Rown* —3B **20**
Rufus Gdns. *Tot* —4C **26**
Rumbridge Gdns. *Tot* —5G **27**
Rumbridge St. *Tot* —5F **27**
Runnymede. *W End* —2D **32**
Runnymede Ct. *W End* —2D **32**
Rushes, The. *March* —3D **38**
Rushington Av. *Tot* —5F **27**
Rushington Bus. Pk. *Tot*
　　　　　　　—6E **27**
Rushington La. *Tot* —6E **27**
Rushpole Ct. *Dib* —3A **52**
Ruskin Rd. *Eastl* —3A **16**
Rusland Clo. *Chan F* —6D **8**
Russell Ct. *March* —3D **38**
Russell Pl. *Sotn* —2D **30**
Russell St. *Sotn* —2C **40** (5F **5**)
Russet Ho. *H End* —5H **33**
Rustan Clo. *F Oak* —2G **17**
Ruston Clo. *H End* —5A **34**
Rutland Ct. *Sotn* —4A **32**
Rutland Gdns. *Burs* —4G **43**
Rutland Way. *Sotn* —2A **32**
Ruxley Clo. *Holb* —4C **54**
Ryde Ter. *Sotn* —2D **40** (5H **5**)
Rye Clo. *Chan F* —1B **14**
Ryecroft. *Fare* —5G **49**

Shawford Clo. *Sotn* —5A **22**
Shawford Clo. *Tot* —4B **26**
Shayer Rd. *Sotn* —2G **29**
Shears Rd. *Eastl* —4E **17**
Sheffield Clo. *Eastl* —2D **16**
Sheldrake Gdns. *Sotn* —4F **21**
Shell Ct. *March* —3D **38**
Shellcroft. *Wars* —1B **50**
Shelley Ct. *Sotn* —6A **30** (1B **4**)
Shelley Rd. *Eastl* —6H **15**
Shelley Rd. *Sotn* —5D **32**
Shelley Rd. *Tot* —1D **26**
Shepherd Clo. *Highc* —4G **5**
Shepherdshey Rd. *Cal* —2B **26**
Shepherds Purse Clo. *L Hth*
—5C **48**
Shepherds Way. *Nurs* —4A **20**
Sherborne Ct. *Eastl* —1H **15**
Sherborne Rd. *Sotn* —1D **30**
Sherborne Way. *H End* —5A **34**
Sherecroft Gdns. *Bot* —4F **35**
Sherfield Ho. *Sotn* —5A **30**
Sheridan Clo. *Sotn* —6D **32**
Sheridan Gdns. *Tot* —4D **26**
Sheridan Gdns. *White* —5G **45**
Sherley Grn. *Burs* —4G **43**
Sherringham Clo. *Fawl* —2H **55**
Sherwood Av. *H End* —1A **44**
Sherwood Clo. *Sotn* —6A **22**
Sherwood Gdns. *Sar G* —3C **48**
Sherwood Rd. *Chan F* —4G **9**
Sherwood Way. *Black* —6E **55**
Shetland Clo. *Tot* —3B **26**
Shetland Ri. *White* —6F **45**
Shinwell Ct. *Sotn* —2F **29**
Shipyard Est., The. *Hythe*
—2F **53**
Shire Clo. *White* —6F **45**
Shires, The. *H End* —5G **33**
Shires Wlk. *Tot* —4B **26**
Shirley Av. *Sotn* —3G **29**
Shirley High St. *Sotn* —3F **29**
Shirley Pk. Rd. *Sotn* —3F **29**
Shirley Rd. *Sotn*
—3G **29** (1A **4**)
Shirley Towers. *Sotn* —3G **29**
Shoblands Way. *Hythe* —5E **53**
(off Sandilands Way)
Sholing Rd. *Sotn* —1G **41**
Shooters Hill Clo. *Sotn*
—2B **42**
Shop La. *Burs & Sotn* —3D **42**
Shorefield Rd. *March* —3D **38**
Shore Rd. *Hythe* —2F **53**
Shore Rd. *Wars* —6H **47**
Shorewell. *Net A* —6C **42**
Shorewood Clo. *Wars* —6D **48**
Short Hill. *Roms* —2F **7**
Short's Rd. *F Oak* —5H **17**
Shotters Hill Clo. *W End*
—2D **32**
Shraveshill Clo. *Tot* —2D **26**
Shrubland Clo. *Sotn* —3B **32**
Siddal Clo. *Sotn* —2C **42**
Sidings, The. *Net A* —2D **46**
Silkin Gdns. *Tot* —5D **26**
Silver Birch Clo. *Sotn* —1C **42**
Silver Birches. *Burs* —5F **43**
Silverdale Ct. *Sotn* —4A **30**
Silverdale Rd. *Sotn* —4A **30**
Silvers End. *Dib P* —5E **53**
Silvers Wood. *Cal* —2C **26**
Silverweed Clo. *Chan F* —6B **8**
Silverweed Ct. *L Hth* —5C **48**
Simmons Clo. *H End* —3A **34**

Simnel St. *Sotn* —2B **40** (5D **4**)
Simon Way. *Sotn* —4E **33**
Sinclair Rd. *Sotn* —4E **21**
Singleton Way. *Tot* —3B **26**
Sir Christopher Clo. *Hythe*
—2F **53**
Sirdar Rd. *Sotn* —6E **23**
Sir Galahad Rd. *Chan F* —1B **14**
Sir George's Rd. *Sotn* —5H **29**
Siskin Clo. *Sotn* —4E **21**
Sissinghurst Clo. *Sotn* —4A **42**
Six Dials. *Sotn* —6C **30** (2F **5**)
Six Oaks Rd. *N Bad* —3E **13**
Sixpenny Clo. *Fare* —6E **49**
Sixth Street. *Hythe* —1E **55**
Sizer Way. *Dib* —3A **52**
Skintle Grn. *Col C* —5F **11**
Skipper Clo. *March* —2E **39**
Skipton Rd. *Chan F* —3F **15**
Skys Wood Rd. *Chan F* —1B **14**
Slades Hill. *Black* —3F **55**
Slater Clo. *Tot* —3B **26**
Sloane Av. *Holb* —4D **54**
Sloane Ct. *Holb* —4D **54**
Sloe Tree Clo. *L Hth* —5G **49**
Slowhill Copse. *March* —2C **38**
Smith Clo. *Fawl* —3F **55**
Smithe Clo. *Eastl* —4A **16**
Smith Gro. *H End* —6A **34**
Smiths Fld. *Roms* —3D **6**
Smiths Quay. *Sotn* —1E **41**
Smythe Rd. *Sotn* —2D **42**
Snapdragon Clo. *L Hth* —5D **48**
Snellgrove Clo. *Cal* —1C **26**
Snellgrove Pl. *Cal* —1C **26**
Snowdrop Clo. *L Hth* —5D **48**
Solent Av. *Sotn* —5E **33**
Solent Breezes Cvn. Site. *Wars*
—4C **50**
Solent Bus. Cen. *Sotn* —5F **29**
Solent Bus. Pk. *White* —6H **45**
Solent Clo. *Chan F* —1G **15**
Solent Dri. *Hythe* —2D **52**
Solent Dri. *Wars* —3B **50**
Solent Homes. *Sotn* —5E **33**
Solent Ind. Cen. *Sotn* —5G **29**
Solent Ind. Est. *H End* —2A **34**
Solent Meadows. *Hamb*
—6G **47**
Solent Rd. *Dib P* —6C **52**
Solent Rd. *W Dock*
—1A **40** (4A **4**)
Solway Ho. *Sotn* —5E **31**
(off Kent St.)
Somborne Ho. *Sotn* —4H **41**
Somerford Clo. *Sotn* —5A **32**
Somerset Av. *Sotn* —4C **32**
Somerset Ct. *Sotn* —5G **29**
Somerset Cres. *Chan F*
—4F **15**
Somerset Rd. *Sotn* —1E **31**
Somerset Ter. *Sotn* —5G **29**
Somerton Av. *Sotn* —4B **32**
Sommers Ct. *Sotn* —2F **41**
Sopwith Way. *Swanw* —5D **44**
Sorrel Dri. *White* —6H **45**
Sorrell Clo. *L Hth* —5D **48**
Sorrell Clo. *Sotn* —3F **7**
Southampton (Eastleigh)
Airport. *Sotn* —2A **24**
Southampton Rd. *Eastl* —1A **24**
Southampton Rd. *Hythe*
—2C **52**
Southampton Rd. *Park G & Fare*
(in two parts) —2F **49**

Southampton Rd. *Roms* —5C **6**
Southampton St. *Sotn* —5B **30**
South Av. *Hythe* —2E **55**
Southbourne Av. *Holb* —4C **54**
Southbrook Rd. *Sotn*
—6A **30** (2A **4**)
Southcliff Rd. *Sotn* —4C **30**
South Clo. *Roms* —3F **7**
South Ct. *Hamb* —5E **47**
South Ct. *Sotn* —3F **29**
Southdale Ct. *Chan F* —1E **15**
Southdene Rd. *Chan F* —2E **15**
S. East Cres. *Sotn* —1A **42**
S. East Rd. *Sotn* —1A **42**
Southern Gdns. *Tot* —4E **27**
Southern Rd. *Sotn*
—1A **40** (3A **4**)
Southern Rd. *W End* —3D **32**
South Front. *Roms* —5C **6**
South Front. *Sotn*
—1C **40** (3F **5**)
S. Hampshire Ind. Pk. *Tot*
—1D **26**
S. Millers Dale. *Chan F* —6D **8**
S. Mill Rd. *Sotn* —4D **28**
South Pde. *Tot* —3F **27**
South Rd. *Sotn* —3E **31**
South St. *Eastl* —1A **24**
South St. *Hythe* —3E **53**
S. View Rd. *Sotn* —3H **29**
Southwood Gdns. *L Hth*
—4D **48**
Sovereign Clo. *Tot* —3C **26**
Sovereign Cres. *Fare* —6E **49**
Sovereign Dri. *H End & Bot*
—5B **34**
Sovereign Way. *Eastl* —1H **15**
Sowden Clo. *H End* —4H **33**
Spalding Rd. *Sotn* —6E **33**
Sparrowgrove. *Ott* —1C **10**
Sparrow Sq. *Eastl* —5F **15**
Sparsholt Rd. *Sotn* —5H **41**
Spear Rd. *Sotn* —3C **30**
Speedwell Clo. *Chan F* —2D **14**
Speedwell Clo. *L Hth* —5D **48**
Speggs Wlk. *H End* —5A **34**
Spencer Rd. *Eastl* —5G **15**
Spencer Rd. *Sotn* —5D **32**
Spenser Clo. *Wars* —1B **50**
Spicer's Hill. *Tot* —6E **27**
Spicer's Way. *Tot* —5E **27**
Spindlewood Clo. *Sotn* —3C **22**
Spindlewood Way. *March*
—5D **38**
Spinney Dale. *Hythe* —4F **53**
Spinney Gdns. *Hythe* —4F **53**
Spinney, The. *Cal* —2C **26**
Spinney, The. *Eastl* —5C **17**
Spinney, The. *Sotn* —3B **22**
Spinney Wlk. *Sotn* —6H **23**
Spitfire Ct. *Sotn* —2E **41**
Spitfire Loop. *Sotn* —2H **23**
Spitfire Quay. *Sotn* —1E **41**
Spitfire Way. *Hamb* —5F **47**
Spring Clo. *F Oak* —2F **17**
Spring Clo. *Sotn* —1H **41**
Spring Ct. *Sotn* —6A **30** (1A **4**)
Spring Cres. *Sotn* —3D **30**
Springdale Ct. *Tot* —4F **27**
Springfield Av. *Holb* —4D **54**
Springfield Ct. *Sotn* —3H **41**
Springfield Dri. *Tot* —5E **27**
Springfield Gro. *Holb* —4D **54**
Springfields Clo. *Col C* —4F **11**
Spring Firs. *Sotn* —2H **41**

Springford Clo. *Sotn* —5F **21**
Springford Cres. *Sotn* —6F **21**
Springford Gdns. *Sotn* —5F **21**
Springford Rd. *Sotn* —6F **21**
Spring Gdns. *N Bad* —2D **12**
Spring Gro. *Burs* —4G **43**
Springhill Rd. *Chan F* —1E **15**
Spring Hills. *Sotn* —6C **32**
Spring Ho. Clo. *Col C* —4G **11**
Spring La. *Col C* —4F **11**
Spring La. *Eastl* —3D **16**
Spring Pl. *Roms* —5B **6**
Spring Rd. *Hythe* —2E **53**
Spring Rd. *Sar G* —1D **48**
Spring Rd. *Sotn* —5H **31**
Spruce Clo. *Wars* —1B **50**
Spruce Dri. *Sotn* —6E **33**
Spruce Dri. *Tot* —3B **26**
Square, The. *F Oak* —2F **17**
Square, The. *Fawl* —2H **55**
Square, The. *Hamb* —5G **47**
Squires Wlk. *Sotn* —4G **41**
Squirrel Clo. *Eastl* —5F **17**
Squirrel Dri. *Sotn* —2A **42**
Squirrels Wlk. *Dib P* —4D **52**
Stable Clo. *Fare* —5H **49**
Stables, The. *L Hth* —5E **49**
Stafford Rd. *Sotn* —4H **29**
Stagbrake Clo. *Holb* —5B **54**
Stag Clo. *Eastl* —5F **17**
Stag Gates. *Black* —4E **55**
Stainer Clo. *Sotn* —2D **42**
Staith Clo. *Sotn* —6C **32**
Stalybridge Clo. *Park G*
—1E **49**
Stamford Way. *F Oak* —3F **17**
Stanbridge La. *Roms* —1A **6**
Standen Rd. *Sotn* —4A **20**
Standford St. *Sotn*
—1D **40** (4H **5**)
Stanford Ct. *Sotn* —2D **42**
Stanier Way. *H End* —1A **34**
Stanley Rd. *Holb* —4D **54**
Stanley Rd. *Sotn* —2E **31**
Stanley Rd. *Tot* —2D **26**
Stannington Cres. *Tot* —3F **27**
Stannington Way. *Tot* —3F **27**
Stanstead Rd. *Eastl* —3H **15**
Stanton Rd. *Sotn* —4D **28**
Stanton Rd. Ind. Est. *Sotn*
—4E **29**
Stapleford Clo. *Roms* —3E **7**
Staplehurst Clo. *Sotn* —4B **42**
Staplewood La. *March* —6H **37**
(in two parts)
Starling Sq. *Eastl* —5F **15**
Station Hill. *Burs* —6H **43**
Station Hill. *Curd* —4G **35**
Station La. *Chan F* —1E **15**
Station M. *Roms* —4C **6**
Station Rd. *Burs* —5H **43**
Station Rd. *Net A* —2B **46**
Station Rd. *Nurs* —4G **19**
Station Rd. *Park G* —2E **49**
Station Rd. *Roms* —5B **6**
Station Rd. *Sotn* —3A **28**
(SO15)
Station Rd. *Sotn* —2H **41**
(SO19)
Station Rd. N. *Tot* —4H **27**
Station Rd. S. *Tot* —4H **27**
Steele Clo. *Chan F* —3F **15**
Steep Clo. *Sotn* —3C **32**
Steeple Way. *Fare* —4H **49**
Steinbeck Clo. *White* —5G **45**

Stenbury Way. *Net A* —6C **42**
Stephens Ct. *Roms* —6B **6**
(off Middlebridge St.)
Stephenson Rd. *Tot* —6D **18**
Stephenson Way. *H End*
—6H **25**
Steuart Rd. *Sotn* —4F **31**
Steventon Rd. *Sotn* —4C **32**
Stewart Ho. *Chan F* —4E **9**
Stinchar Dri. *Chan F* —2C **14**
Stirling Clo. *Tot* —3G **27**
Stirling Cres. *H End* —2A **34**
Stirling Cres. *Tot* —3G **27**
Stirling Wlk. *Roms* —5B **6**
Stockholm Dri. *H End* —6A **34**
Stocklands. *Tot* —1C **26**
Stockley Clo. *Holb* —5C **54**
Stockton Clo. *H End* —4B **34**
Stoke Rd. *Sotn* —2E **29**
Stokesay Clo. *Hythe* —6E **53**
Stoke Wood Clo. *F Oak*
—5G **17**
Stonechat Dri. *Tot* —3B **26**
Stone Crop Clo. *L Hth* —5D **48**
Stoneham Cemetery Rd. *Sotn*
—5H **23**
Stoneham Clo. *Sotn* —4F **23**
Stoneham Gdns. *Burs* —4F **43**
Stoneham La. *Eastl & Sotn*
—6G **15**
Stoneham Way. *Sotn* —5F **23**
Stonymoor Clo. *Holb* —5C **54**
Stour Clo. *W End* —6B **24**
Stourvale Gdns. *Chan F* —2F **15**
Stowe Clo. *H End* —2B **34**
Stragwyne Clo. *N Bad* —2D **12**
Straight Mile, The. *Roms*
—3G **7**
Strand. *Sotn* —1C **40** (4E **5**)
Strategic Pk. *H End* —4F **33**
Stratfield Dri. *Chan F* —4D **8**
Stratford Ct. *Sotn* —4C **22**
Stratford Pl. *Eastl* —3B **16**
Stratton Rd. *Sotn* —2G **29**
Strawberry Fields. *H End*
—5G **33**
Strawberry Hill. *L Hth* —4D **48**
Strawberry Mead. *F Oak*
—6H **17**
Streamleaze. *Fare* —5G **49**
Street End. *N Bad* —2F **13**
Strides Way. *Tot* —4B **26**
Strongs Clo. *Roms* —4E **7**
Stroudley Way. *H End* —1B **34**
Stuart Bridgewater Ho. *Sotn*
—4A **32**
Stubbington Way. *F Oak*
—2G **17**
Stubbs Drove. *H End* —4B **34**
Stubbs Rd. *Sotn* —3C **42**
Studland Clo. *Sotn* —2B **28**
Studland Rd. *Sotn* —3B **28**
Studley Av. *Holb* —4C **54**
Sturminster Ho. *Sotn* —2D **28**
Suffolk Av. *Sotn* —4H **29**
Suffolk Clo. *Chan F* —5E **15**
Suffolk Dri. *Chan F* —4E **15**
Suffolk Dri. *White* —6F **45**
Suffolk Grn. *Chan F* —5E **15**
Sullivan Rd. *Sotn* —1D **42**

Summerfield Gdns. *Sotn*
—4F **23**
Summerfields. *L Hth* —6F **49**
Summerlands Rd. *F Oak*
—2F **17**
Summers St. *Sotn* —5E **31**
Summit Way. *Sotn* —2H **31**
Sunningdale. *Hythe* —3D **52**
Sunningdale Clo. *Eastl* —5F **17**
Sunningdale Gdns. *Sotn*
—4B **32**
Sunningdale Mobile Home Pk.
Col C —4F **11**
Sunnyfield Ri. *Burs* —4G **43**
Sunny Way. *Tot* —4F **27**
Sunset Av. *Tot* —3E **27**
Sunset Rd. *Tot* —3E **27**
Sunvale Clo. *Sotn* —2B **42**
Surbiton Rd. *Eastl* —2B **16**
Surrey Clo. *Tot* —6D **26**
Surrey Ct. *Chan F* —4F **15**
Surrey Ct. *Sotn* —5G **29**
Surrey Ho. *Chan F* —4F **15**
Surrey Rd. *Chan F* —4F **15**
Surrey Rd. *Sotn* —3F **41**
Sussex Rd. *Chan F* —4F **15**
Sussex Rd. *Sotn* —6C **30** (3E **5**)
Sutherland Clo. *Roms* —3E **7**
Sutherland Rd. *Sotn* —4D **20**
Sutherlands Ct. *Chan F* —1E **15**
Sutherlands Way. *Chan F*
—6D **8**
Sutton Rd. *Tot* —2E **27**
Swale Dri. *Chan F* —6C **8**
Swallow Clo. *Tot* —5C **26**
Swallow Sq. *Eastl* —5F **15**
Swanage Clo. *Sotn* —1G **41**
Swan Cen., The. *Eastl* —5B **16**
Swan Clo. *Swanw* —6B **44**
Swan Ct. *Burs* —5A **44**
Swanley Clo. *Eastl* —2A **16**
Swanmore Av. *Sotn* —2B **42**
Swan Quay. *Sotn* —3F **31**
Swanton Gdns. *Chan F* —6D **8**
Swanwick Bus. Cen. *Lwr S*
—6B **44**
Swanwick La. *Swanw* —5A **44**
Swanwick Shore Rd. *Swanw*
—6B **44**
Swaythling Rd. *W End* —6B **24**
Sweethills Cres. *White* —5F **45**
Swift Clo. *Eastl* —5F **15**
Swift Gdns. *Sotn* —4F **41**
Swift Hollow. *Sotn* —4F **41**
Swift Rd. *Sotn* —4F **41**
Swincombe Ri. *W End* —2B **32**
Sycamore Av. *Chan F* —4E **9**
Sycamore Clo. *Burs* —5B **43**
Sycamore Clo. *Fare* —6G **49**
Sycamore Clo. *N Bad* —2D **12**
Sycamore Clo. *Roms* —6F **7**
Sycamore Dri. *Holb* —3B **54**
Sycamore Rd. *Hythe* —3D **52**
Sycamore Rd. *Sotn* —1E **29**
Sycamores, The. *Hythe*
—2E **53**
Sycamore Wlk. *Bot* —4E **35**
Sydmanton Clo. *Roms* —6D **6**
Sydney Av. *Hamb* —4E **47**
Sydney Rd. *Eastl* —3D **16**
Sydney Rd. *Sotn* —2F **29**
Sylvan Av. *Sotn* —5C **32**
Sylvan Dri. *N Bad* —3D **12**
Sylvan La. *Hamb* —6G **47**
Sylvans, The. *Dib P* —3B **52**

Sylvia Cres. *Tot* —2E **27**
Symes Rd. *Roms* —5E **7**
Symonds Clo. *Chan F* —3F **15**

Tadburn Clo. *Chan F* —2F **15**
Tadburn Clo. *Roms* —5D **6**
Tadburn Grn. *Roms* —6B **6**
(off Banning St.)
Tadburn Rd. *Roms* —5D **6**
Tadfield Cres. *Roms* —5D **6**
Tadfield Rd. *Roms* —5D **6**
Talbot Clo. *Sotn* —2C **40** (6E **5**)
(SO14)
Talbot Clo. *Sotn* —5B **22**
(SO16)
Talbot Rd. *Dib P* —5B **52**
Talisman Bus. Cen. *Park G*
—2F **49**
Talland Rd. *Fare* —6F **49**
Tamar Gdns. *W End* —1B **32**
Tamar Gro. *Hythe* —3C **52**
Tamarisk Gdns. *Sotn* —3G **31**
Tamarisk Rd. *H End* —4H **33**
Tamella Rd. *Bot* —5C **34**
Tamorisk Dri. *Tot* —5C **26**
Tanglewood. *March* —4E **39**
Tangmere Dri. *Sotn* —5D **20**
Tanhouse Clo. *H End* —6B **34**
Tanhouse La. *Bot* —6B **34**
Tankerville Rd. *Sotn* —2F **41**
Tanner's Brook Way. *Sotn*
—5D **28**
Tanners Rd. *N Bad* —4E **13**
Tanners, The. *Fare* —1G **51**
Tansy Mdw. *Chan F* —3B **14**
Tanyards, The. *Chan F* —4D **8**
Taplin Dri. *H End* —3A **34**
Taranto Rd. *Sotn* —5G **21**
Tasman Clo. *Ocn V* —3D **40**
Tasman Ct. *Sotn* —3D **40**
Tate Ct. *Sotn* —3A **28**
Tate M. *Sotn* —3A **28**
Tate Rd. *Sotn* —3A **28**
Tates Rd. *Hythe* —3F **53**
Tatwin Clo. *Sotn* —6D **32**
Tatwin Cres. *Sotn* —6D **32**
Taunton Dri. *Sotn* —4B **32**
Tavell's Clo. *March* —4C **38**
Tavell's La. *March* —4B **38**
Taverners Clo. *Sotn* —2D **42**
Tavistock Clo. *Roms* —3E **7**
Tavy Clo. *Chan F* —1D **14**
Taw Dri. *Chan F* —6D **8**
Taylor Clo. *Sotn* —4F **41**
Teachers Way. *Holb* —4B **54**
Teal Clo. *Tot* —4C **26**
Tebourba Way. *Curd* —4H **35**
Tebourba Way. *Sotn* —4C **28**
Tedder Rd. *Sotn* —3A **32**
Tedder Way. *Tot* —4D **26**
Tees Clo. *Chan F* —6C **8**
Tees Farm Rd. *Col C* —5F **11**
Tees Grn. *Col C* —5F **11**
Telegraph Rd. *W End* —3E **33**
Telford Gdns. *H End* —1B **34**
Telford Way. *Fare* —2G **49**
Teme Cres. *Sotn* —2C **28**
Teme Rd. *Sotn* —3C **28**
Templars Mede. *Chan F* —4D **14**
Templars Way. *Chan F* —3B **14**
Templecombe Rd. *Eastl* —6F **17**
Temple Gdns. *Sotn* —3H **41**
Temple Rd. *Sotn* —3H **41**

Tenby Clo. *Sotn* —3A **32**
Tenby Dri. *Chan F* —3C **14**
Tench Way. *Roms* —4C **6**
Tennyson Clo. *Holb* —3B **54**
Tennyson Rd. *Eastl* —6H **15**
Tennyson Rd. *Sotn* —3D **30**
Tennyson Rd. *Tot* —1D **26**
Tenterton Av. *Sotn* —4B **42**
Tenth St. *Hythe* —4D **54**
Terminus Ter. *Sotn*
—2D **40** (6F **5**)
Tern Clo. *Hythe* —4F **53**
Terrier Clo. *H End* —6H **25**
Terriote Clo. *Chan F* —6E **9**
Testbourne Av. *Tot* —4D **26**
Testbourne Clo. *Tot* —4D **26**
Testbourne Rd. *Tot* —4D **26**
Testlands Av. *Sotn* —3B **20**
Test La. *Sotn* —6H **19**
Test Mills. *Roms* —4A **6**
Test Rd. *E Dock* —4C **40**
Test Valley Bus. Pk. *N Bad*
—1E **13**
Test Valley Small Bus. Cen. *Sotn*
—1H **27**
Testwood Av. *Tot* —2E **27**
Testwood Cres. *Tot* —1D **26**
Testwood La. *Tot* —3F **27**
Testwood Pl. *Tot* —3G **27**
Testwood Rd. *Sotn* —5F **29**
Tetney Clo. *Sotn* —6C **20**
Teviot Ho. *Sotn* —5E **31**
(off York Clo.)
Teviot Rd. *Chan F* —2C **14**
Thackeray Rd. *Sotn* —3D **30**
Thacking Grn. *Col C* —5F **11**
Thames Clo. *W End* —6B **24**
Thetford Gdns. *Chan F* —5C **8**
Thicket, The. *Roms* —6F **7**
Third Av. *Sotn* —4C **28**
Third St. *Hythe* —2F **55**
Thirlmere. *Eastl* —5H **15**
Thirlmere Rd. *Sotn* —1C **28**
Thirlstane Firs. *Chan F* —3D **14**
Thirteenth St. *Hythe* —3D **54**
Thistle Rd. *Chan F* —2B **14**
Thistle Rd. *H End* —5H **33**
Thomas Clo. *Tot* —5D **26**
Thomas Lewis Way. *Sotn*
(SO14 & SO17) —3D **30**
Thomas Lewis Way. *Sotn*
(SO17,SO18 & SO16) —2E **31**
Thomas Rd. *N Bad* —3E **13**
Thornbury Av. *Black* —5E **55**
Thornbury Av. *Sotn* —4A **30**
Thornbury Heights. *Chan F*
—4H **9**
Thornbury Wood. *Chan F*
—4H **9**
Thorn Clo. *Eastl* —2A **16**
Thorndike Clo. *Sotn* —1E **29**
Thorndike Rd. *Sotn* —1D **28**
Thorners Ct. *Sotn* —5B **30**
Thorner's Homes. *Sotn* —3F **29**
Thorness Clo. *Sotn* —2B **28**
Thornhill Av. *Sotn* —5D **32**
Thornhill Clo. *Fawl* —3F **55**
Thornhill Homes. *Sotn* —6D **32**
(off Tatwin Clo.)
Thornhill Pk. Rd. *Sotn*
—4D **32**
Thornhill Rd. *Fawl* —3F **55**
Thornhill Rd. *Sotn* —5H **21**
Thornleigh Rd. *Sotn* —3G **41**
Thornton Av. *Wars* —6A **48**

Willment Marine & Bus. Pk.
    Sotn —1F **41**
Willments Ind. Est. Sotn
    —2E **41**
Willow Clo. H End —5B **34**
Willow Clo. W End —1E **33**
Willow Ct. Sotn —6E **21**
Willow Dri. March —5D **38**
Willow Gdns. N Bad —2D **12**
Willow Grn. Col C —5G **11**
Willow Gro. F Oak —2G **17**
Willow Herb Clo. L Hth —5C **48**
Willows, The. Chan F —4E **15**
Willows, The. W End —1E **33**
Willow Tree Wlk. Sotn —2B **42**
Wills Way. Roms —6D **6**
Wilmer Rd. Eastl —5A **16**
Wilmington Clo. Sotn —6H **23**
Wilmot Clo. Eastl —2E **17**
Wilson St. Sotn —6E **31** (1H **5**)
Wilton Av. Sotn —5A **30**
Wilton Ct. Sotn —3H **29**
Wilton Cres. Sotn —2H **29**
Wilton Gdns. Sotn —2H **29**
Wilton Mnr. Sotn —5B **30**
    (off Wilton Av.)
Wilton Rd. Sotn —1G **29**
Wiltshire Rd. Chan F —4F **15**
Wilverley Pl. Black —4E **55**
Wimpson Gdns. Sotn —2D **28**
Wimpson La. Sotn —3C **28**
Winchester Clo. Net A —1B **46**
Winchester Clo. Roms —3E **7**
Winchester Hill. Roms —5D **6**
Winchester Rd. Bish W & Wal C
    —1C **34**
Winchester Rd. Chan F —1E **15**
Winchester Rd. Chilw —1C **22**
Winchester Rd. Roms —5C **6**
Winchester Rd. Sotn —2E **29**
Winchester St. Bot —3D **34**
Winchester St. Sotn —5B **30**
Winchester Way. Tot —4C **26**
Winchfield Clo. Sotn —4A **42**
Windbury Rd. Sotn —1C **28**
Windermere Av. Sotn —1B **28**
Windermere Gdns. Tot —3E **27**
Windermere Rd. W End
    —2B **32**
Windfield Dri. Roms —4E **7**
Windmill Ct. Dib P —5D **52**
Windmill La. Bot —3G **43**
Windover Clo. Sotn —5C **32**
Windrush Rd. Sotn —2C **28**
Windrush Way. Hythe —3E **53**
Windsor Ct. Eastl —3D **16**

Windsor Ct. Sotn —5E **29**
    (off Regents Pk. Rd., SO15)
Windsor Ct. Sotn —4G **31**
    (SO18)
Windsor Ga. Eastl —1A **16**
Windsor Rd. Tot —5G **27**
Windsor Ter. Sotn —2D **4**
Winfrid Ho. Tot —4D **26**
Winfrith Way. Nurs —4B **20**
Wingate Dri. Sotn —6B **32**
Wingate Rd. Tot —3D **26**
Wingrove Rd. Asht —2C **36**
Winifred Clo. Eastl —1F **17**
Winkle St. Sotn —3C **40**
Winnards Pk. Sar G —3B **48**
Winn Rd. Sotn —3B **30**
Winsford Av. Eastl —6G **17**
Winsford Clo. Eastl —6G **17**
Winsford Gdns. Eastl —6G **17**
Winstanley Rd. Nurs —4A **20**
Winston Clo. Eastl —3A **16**
Winston Clo. Sotn —1D **28**
Winstone Cres. N Bad —4E **13**
Winterbourne Rd. Roms —3E **7**
Winters Clo. Holb —5D **54**
Winton Ct. W End —2D **32**
Winton St. Sotn —6C **30** (2F **5**)
    (in two parts)
Witham Clo. Chan F —1C **14**
Witherbed La. Fare —3H **49**
    (in three parts)
Withewood Mans. Sotn —4G **29**
Wittering Rd. Sotn —4E **21**
Witt Rd. F Oak —2F **17**
Witts Hill. Sotn —2H **31**
Woburn Clo. Eastl —1A **16**
Woburn Rd. Sotn —4F **21**
Wodehouse Rd. Sotn —1G **41**
Wolseley Rd. Sotn —4G **29**
Wolverley Clo. Sotn —6H **21**
Wolverton Rd. Sotn
    —6D **30** (1G **5**)
Wolvesey Pl. Chan F —3C **14**
Wonston Rd. Sotn —5F **21**
Wood Clo. Sotn —2C **42**
Woodcote Rd. Sotn —6E **23**
Wood End Way. Chan F —1C **14**
Wooderson Clo. F Oak —4H **17**
Wood Glade Clo. March
    —4D **38**
Woodgreen Wlk. Cal —2B **26**
Woodhouse La. Bot —4B **34**
Woodland Clo. Sotn —4D **32**
Woodland Drove. Col C —2G **11**
Woodland M. W End —2D **32**
Woodland Pl. Sotn —4A **30**

Woodlands Clo. Chan F —3F **9**
Woodlands Clo. Dib P —5C **52**
Woodlands Clo. Sar G —1D **48**
Woodlands Ct. Dib P —5C **52**
Woodlands Dri. Net A —1D **46**
Woodlands Drove. Asht —2A **36**
Woodlands Gdns. Roms —3E **7**
Woodlands Rd. Tot —6A **26**
Woodlands Way. Burs —5F **43**
Woodlands Way. N Bad —3D **12**
Woodlands Way. Sotn —3B **30**
Woodland, The. Chan F —4C **8**
Woodland Va. Sotn —1B **42**
Woodland Vw. Burs —5F **43**
Woodlea Clo. W End —2E **33**
Woodlea Way. Amp —3B **8**
Woodley Clo. Roms —2F **7**
Woodley Clo. Flats. Roms
    —2F **7**
Woodley Grange. Roms —3F **7**
Woodley La. Roms —4D **6**
Woodley Rd. Sotn —2F **41**
Woodley Way. Roms —2F **7**
Wood Lodge. Cal —2B **26**
Woodmill La. Sotn —6F **23**
Woodmoor Clo. March —4E **39**
Woodpecker Copse. L Hth
    —4F **49**
Woodpecker Dri. March —4C **38**
Woodpecker Way. Eastl —5F **15**
Wood Rd. Asht —3B **36**
Woodrush Cres. L Hth —5C **48**
Woodside. Chilw —5A **14**
Woodside Av. Eastl —4G **15**
Woodside Clo. March —4C **38**
Woodside Ct. Sotn —3D **30**
Woodside Cres. Chilw —5H **13**
Woodside Gdns. Asht —2C **36**
Woodside Rd. Eastl —3G **15**
Woodside Rd. N Bad —3D **12**
Woodside Rd. Sotn —3D **30**
Woodside Way. H End —6G **33**
Woodstock Clo. H End —6B **34**
Woodstock Dri. Sotn —2C **30**
Woodthorpe Gdns. Sar G
    —1D **48**
Woodview Clo. Sotn —3C **22**
Woodview Pk. Cvn. Pk. Curd
    —4G **35**
Woodville Rd. Fawl —2H **55**
Wooley Ho. Sotn —2F **5**
Woolston Rd. Net A —5B **42**
Woolwich Clo. Burs —4F **43**
Wootton. Net A —6C **42**
Worcester Pl. Sotn —3B **42**
Wordsworth Clo. White —4G **45**

Wordsworth Rd. Sotn —2G **29**
Workman's La. Wars —3C **50**
Wren Rd. Eastl —6G **15**
Wright's Hill. Sotn —3A **42**
Wrights Wlk. Burs —4F **43**
Wryneck Clo. Sotn —3E **21**
Wychwood Dri. Black —6E **55**
Wychwood Gro. Chan F —5G **9**
Wycliffe Rd. Sotn —2A **32**
Wykeham Clo. Net A —1B **46**
Wykeham Clo. Sotn —5A **22**
Wykeham Rd. Net A —1B **46**
Wylye Clo. W End —6B **24**
Wyndham Ct. Sotn
    —6A **30** (1B **4**)
Wyndham Pl. Sotn
    —6A **30** (1B **4**)
Wynter Rd. Sotn —3B **32**
Wynyards Gap. N Bad —3D **12**
Wyre Clo. Chan F —1D **14**
Wyvern Clo. Chan F —1F **15**

Yardley Rd. H End —6H **33**
Yarmouth Gdns. Sotn —2F **29**
Yarrow Way. L Hth —5C **48**
Yaverland. Net A —1C **46**
Yelverton Av. Hythe —5E **53**
Yeoman Ind. Pk. Sotn —1H **27**
Yeoman Pk. Sotn —2A **28**
Yeomans Way. Tot —3F **27**
Yeovil Chase. Sotn —3B **32**
Yewberry Way. Chan F —1A **14**
Yew Rd. Sotn —3A **32**
Yew Tree Clo. F Oak —1F **17**
Yew Tree Clo. H End —5H **33**
Yewtree Clo. Hythe —6E **53**
Yew Tree Ct. Swanw —6F **45**
Yew Tree Ct. W End —2E **33**
Yew Tree Dri. White —6F **45**
Yewtree La. Nurs —6A **20**
Yonge Clo. Eastl —4B **16**
York Bldgs. Sotn —1C **40** (4E **5**)
    (in two parts)
York Clo. Chan F —3B **14**
York Clo. Sotn —5E **31**
York Clo. Tot —3G **27**
York Drove. Sotn —4B **32**
Yorke Way. Hamb —4E **47**
York Ga. Sotn —1C **40** (4E **5**)
York Ho. Sotn —5E **31**
York Rd. Eastl —1A **24**
York Rd. Net A —1A **46**
York Rd. Sotn —4G **29**
York Wlk. Sotn —1C **40** (4E **5**)